天災と日本人

寺田寅彦随筆選

寺田寅彦
山折哲雄＝編

角川文庫
16946

はじめに

山折哲雄

いま、なぜ、寺田寅彦なのか。

二〇一一年の三月十一日、われわれのほとんどが想像できなかった大地震と大津波がこの日本列島を襲い、福島の原子力発電所が壊れて、火を噴いたからである。この地震列島に生きる日本人は、この災害をこれからさきどのように受けとめ、どのように生きていったらよいのか、そのことを根本的に考えなければならない事態に追いこまれたといっていいのではないだろうか。

三・一一のその日からほぼ一か月ほど経ってから、私は現地を訪れた。二泊三日のあわただしい旅であったけれども、眼前にひろがる破壊の爪あとと瓦礫《がれき》の山に思わず声をのみこんだ。自然の破壊力がいかに怖るべきものであるかを知らされたからだった。

恐怖の第一波は、文明の心臓部に襲いかかる自然の猛威だった。そしてその第二波が、文明をつくってきた人間たちのあり方を根底から脅かす自然の怖ろしさだった。最後にその第三波が、自然界の秩序そのものを突如として攪乱《かくらん》しカオスにつきおとす自然そのものの巨大な破壊力だった。自然が自然そのものに刃向うときの得体の知れない怖ろしさだった。

このような自然のあり方を指して、寺田寅彦は「厳父のごとき自然」といっていた。われわれが日常的に慣れ親しんできた美しく、優しい自然、すなわち「慈母のごとき自然」にたいして、そう呼んだのである。そのようなほんらい自然そのものがもっている二面性について、歴史的な背景を含めて科学的に明らかにしたのが寺田寅彦だった。

私がこんど訪れた被災地は宮城県の東松島《ひがしまつしま》、石巻《いしのまき》から気仙沼《けせんぬま》地域にかけてのごく一部であったが、たまたま空は晴れ、海は波ひとつなく凪《な》ぎ、美しく輝いていた。慈母のごとき姿をみせていたのである。ふり返れば、瓦礫の山のかなたに、どこまでもつづくなつかしい山脈の稜線がしずかに横たわっていた。

国破れて、山河あり、の言葉が蘇《よみがえ》った。そして、この山野河海にしずまる自然の穏やかな姿が、ふたたびわれわれの荒ぶるこころを静安な岸辺に運んでくれるであろうと思ったのである。

もうひとつ、寺田寅彦は物理学を学んだ地震学者だった。尺八の音響学的研究をはじめ、電気火花、ガラスの割れ目、金平糖の生成などの現象を独自の視点から分析し、その知的好奇心はとどまるところを知らなかった。夏目漱石《なつめそうせき》を師と仰いで科学随筆の分野にも新たな境地をひらき、俳諧《はいかい》のジャンルにも一家言をもつ人間的な幅の広さをもっていた。一個独立した専門家でありながら、同時にその専門の枠をのりこえる、感性豊かな複眼思考の科学者だったといっていいだろう。

そしてその点にレンズをあてると、寺田寅彦の人間的資質が宮沢賢治《みやざわけんじ》のそれに重なり合う面のあることがみえてくるのではないだろうか。はじめ自然科学の道にすすんだ賢治が、その短い人生を終える最後まで詩とメルヘンの世界を手放さなかった生き方が寅彦の姿と寄りそう形で浮かび上ってくるからである。

そういえば宮沢賢治が生まれたのが明治二十九年（一八九六）、そのわずか二か月前にマグニチュード（M）八・二とされる「明治三陸地震」が発生している。そしてその賢治が、わずか三十八歳で短い人生を閉じた半年ほど前の昭和八年（一九三三）

三月三日には、約三千人の死者、行方不明者を出した「昭和三陸地震」（M：八・一）がおきていた。もしもそうであるとすると、昭和十年（一九三五）に五十八歳でこの世を去った寺田寅彦は、賢治とほとんど同時代を生きていることになるだろう。奇《く》しき因縁というほかはないのである。

千五百年の長きにわたって日本列島に築きあげられてきた文明の本質を、自然科学と人文学両方の側面から鋭く分析し、明らかにした先駆者の一人、それが寺田寅彦であった。かれが考えつづけた自然災害と科学技術のあり方、そしてそこに立脚する日本人の精神性についての鋭い指摘を、われわれは今こそ考えなければならないときにきていると思うのである。

目　次

天災と国防

「非常時」というなんとなく不気味なしかしはっきりした意味の分かりにくい言葉がはやりだしたのは何時頃からであったか思い出せないが、ただ近来何かしら日本全国土の安寧を脅かす黒雲のようなものが遠い水平線の向こう側からこっそり覗いているらしいという、云わば取り止めのない悪夢のような不安の陰影が国民全体の意識の底層に揺曳《ようえい》していることは事実である。そうして、その不安の渦巻の廻転《かいてん》する中心点はと言えばやはり近き将来に期待される国際的折衝の難関であることはもちろんである。

そういう不安をさらにあおり立てでもするように、今年になってから色々の天変地異が踵《くびす》を次いで我が国土を襲い、そうしておびただしい人命と財産を奪ったように見える。あの恐ろしい函館《はこだて》(一)の大火や近くは北陸《ほくりく》(二)地方の水害の記憶がまだ生々しいうちに、さらに九月二十一日の近畿《きんき》(三)地方大風水害が突発して、その損害は容易に評価のできないほど甚大なものであるように見える。国際的のいわゆる「非常時」は少なくも現在においては無形な実証のないものであるが、これらの天変地異の「非常時」はもっとも具象的な眼前の事実としてその惨状を曝露《ばくろ》しているのである。

一家のうちでもどうかすると直接の因果関係の考えられないような色々な不幸が頻発することがある。すると人はきっと何かしら神秘的な因果応報の作用を想像して祈《き》禱《とう》や厄払いの他力にすがろうとする。国土に災禍の続起する場合にも同様である。しかし統計に関する数理から考えてみると、一家なり一国なりにある年は災禍が重畳しまた他の年にはまったく無事な廻り合わせが来るということは、純粋な偶然の結果としても当然期待されうる「自然変異《ナチユラルフラクチユエーシヨン》」の現象であって、別に必ずしも怪力乱神を語るには当たらないであろうと思われる。悪い年廻《としまわ》りはむしろいつかは廻って来るのが自然の鉄則であると覚悟を定めて良い年廻りの間に十分の用意をしておかなければならないということは、実に明白すぎるほど明白なことであるが、またこれほど万人が綺麗に忘れがちなことも稀《まれ》である。もっともこれを忘れているおかげで今日を楽しむことができるのだという人があるかもしれないのであるが、それは個人めいめいの哲学に任せるとして少なくも一国の為政の枢機に参与する人々だけは、この健忘症に対する診療を常々怠らないようにしてもらいたいと思う次第である。

日本はその地理的の位置がきわめて特殊であるために国際的にも特殊な関係が生じ色々な仮想敵国に対する特殊な防備の必要を生じると同様に、気象学的地球物理学的にもまたきわめて特殊な環境の支配を受けているために、その結果として特殊な天変地異に絶えず脅かされなければならない運命のもとに置かれていることを一日も忘れてはならないはずである。

地震津波颱風《たいふう》のごとき西欧文明諸国の多くの国々にも全然無いとは言われないまでも、頻繁に我が邦《くに》のように劇甚な災禍を及ぼすことははなはだ稀であると言ってもよい。我が邦のようにこういう災禍の頻繁であるということは一面から見れば我が邦の国民性の上に良い影響を及ぼしていることも否定し難いことであって数千年来の災禍の試練によって日本国民特有の色々な国民性の優れた諸相が作り上げられたことも事実である。

しかしここで一つ考えなければならないことで、しかもいつも忘れられがちな重大な要項がある。それは、文明が進めば進むほど天然の暴威による災害がその劇烈の度を増すという事実である。

人類がまだ草昧《そうまい》の時代を脱しなかったころ、巌丈《がんじょう》な岩山の洞窟《どうくつ》の中に住まっていたとすれば、大抵の地震や暴風でも平気であったろうし、これらの天変によって破壊さるべき何らの造営物をも持ち合わせなかったのである。もう少し文化が進んで小屋を作るようになっても、テントか掘っ立て小屋のようなものであってみれば、地震にはかえって絶対安全であり、またたとえ風に飛ばされてしまっても復旧ははなはだ容易である。とにかくこういう時代には、人間は極端に自然に従順であって、自然に逆らうような大それた企ては何もしなかったからよかったのである。

文明が進むに従って人間は次第に自然を征服しようとする野心を生じた。そうして、重力に逆らい、風圧水力に抗するような色々の造営物を作った。そうしてあっぱれ自然の暴威を封じ込めたつもりになっていると、どうかした拍子に檻《おり》を破った猛獣の大群のように、自然が暴れ出して高楼を倒潰《とうかい》せしめ堤防を崩壊させて人命を危くし財産を亡ぼす。その災禍を起こさせたもとの起こりは天然に反抗する人間の細工であると言っても不当ではないはずである。災害の運動エネルギーとなるべき位置エネルギーを蓄積させ、いやが上にも災害を大きくするように努力しているものは誰あろう文明人そのものなのである。

もう一つ文明の進歩のために生じた対自然関係の著しい変化がある。それは人間の団体、なかんずくいわゆる国家あるいは国民と称するものの有機的結合が進化し、その内部機構の分化が著しく進展してきたために、その有機系のある一部の損害が系全体に対して甚だしく有害な影響を及ぼす可能性が多くなり、時には一小部分の傷害が全系統に致命的となりうる恐れがあるようになったということである。

単細胞動物のようなものでは個体を截断《せつだん》しても、各片が平気で生命を持続することができるし、もう少し高等なものでも、肢節を切断すれば、その痕跡《こんせき》から代わりが芽を吹くという事もある。しかし高等動物になると、そういう融通がきかなくなって、針一本でも打ちどころ次第では生命を亡うようになる。

先住アイヌが日本の大部に住んでいたころにたとえば大正十二年の関東大震か、今度の九月二十一日のような颱風が襲来したと想像してみる。彼らの宗教的畏怖《いふ》の念は吾々《われわれ》の想像以上に強烈であったであろうが、彼らの受けた物質的損害は些細《ささい》なものであったに相違ない。前にも述べたように彼らの小屋にとっては弱震も烈震も効果においてたいした相違はないであろうし、毎秒二十メートルの風も毎秒六十メートルの風もやはり結果においてほぼ同等であったろうと想像される。そうして、野生の鳥獣が地震や風雨に堪えるようにこれら未開の民もまた年々歳々の天変を案外楽にしのいで種族を維持して来たに相違ない。そうして食物も衣服も住居もめいめいが自身の労力によって獲得するのであるから、天災による損害は結局各個人めいめいの損害であって、その回復もまためいめいの仕事であり、まためいめいの力で回復し得られないような損害は始めからありようがないはずである。

文化が進むに従って個人が社会を作り、職業の分化が起こってくると事情は未開時代と全然変わって来る。天災による個人の損害はもはやその個人だけの迷惑では済まなくなってくる。村の貯水池や共同水車小屋が破壊されれば多数の村民は同時にその損害の余響を受けるであろう。

二十世紀の現代では日本全体が一つの高等な有機体である。各種の動力を運ぶ電線やパイプやが縦横に交叉《こうさ》し、色々な交通網が隙間もなく張り渡されているありさまは高等動物の神経や血管と同様である。その神経や血管の一箇所に故障が起これぱその影響はたちまち全体に波及するであろう。今度の暴風で畿内《きない》地方の電信が不通になったために、どれだけの不都合が全国に波及したかを考えてみればこのことは諒解《りょうかい》されるであろう。

これほど大事な神経や血管であるから天然の設計に成る動物体内ではこれらの器官が実に巧妙な仕掛けで注意深く保護されているのであるが、一国の神経であり血管である送電線は野天に吹きさらしで風や雪がちょっとばかりつらく触れればすぐに切断するのである。市民の栄養を供給する水道はちょっとした地震で断絶するのである。

もっとも、送電線にしても工学者の計算によって相当な風圧を考慮し若干の安全係数をかけて設計してあるはずであるが、変化のはげしい風圧を静力学的に考え、しかもロビンソン風速計で測った平均風速だけを目安にして勘定したりするようなアカデミックな方法によって作ったものでは、弛張《しちょう》のはげしい風の息の偽周期的衝撃に堪えないのはむしろ当然のことであろう。

それで、文明が進むほど天災による損害の程度も累進する傾向があるという事実を十分に自覚して、そうして平生からそれに対する防御策を講じなければならないはずであるのに、それがいっこうにできていないのはどういうわけであるか。その主なる原因は、畢竟《ひっきょう》そういう天災がきわめて稀にしか起こらないで、ちょうど人間が前車の顚覆《てんぷく》を忘れたころにそろそろ後車を引き出すようなことになるからであろう。

しかし昔の人間は過去の経験を大切に保存し蓄積してその教えに頼ることがはなは

だ忠実であった。過去の地震や風害に堪えたような場所にのみ集落を保存し、時の試練に堪えたような建築様式のみを墨守してきた。それだからそうした経験に従って造られたものは関東震災でも多くは助かっているのである。大震後横浜から鎌倉《かまくら》へかけて被害の状況を見学に行ったとき、かの地方の丘陵のふもとを縫う古い村家が存外平気で残っているのに、田んぼの中に発展した新開地の新式家屋がひどくめちゃめちゃに破壊されているのを見た時につくづくそういう事を考えさせられたのであったが、今度の関西の風害でも、古い神社仏閣などは存外あまりいたまないのに、時の試練を経ない新様式の学校や工場が無残に倒潰してしまったという話を聞いていっそうその感を深くしている次第である。やはり文明の力を買いかぶって自然を侮り過ぎた結果からそういうことになったのではないかと想像される。新聞の報ずるところによると幸いに当局でもこの点に注意してこの際各種建築被害の比較的研究を徹底的に遂行することになったらしいから、今回の苦い経験が無駄になるような事は万に一つもあるまいとは思うが、しかしこれは決して当局者だけに任すべき問題ではなく国民全体が日常めいめいに深く留意すべきことであろうと思われる。

小学校の倒潰のおびただしいのは実に不可思議である。ある友人は国辱中の大国辱だと言って憤慨している。ちょっと勘定してみると普通家屋の全潰百三十五に対し学校の全潰一の割合である。実に驚くべき比例である。これには色々の理由があるであろうが、要するに時の試練を経ない造営物が今度の試験でみごとに落第したと見ることはできるであろう。

小学校建築には政党政治の宿弊に根を引いた不正な施工がつきまとっているというゴシップもあって、小学生を殺したものは○○議員だと皮肉をいうものさえある。あるいは吹き抜き廊下のせいだというはなはだ手取り早で少し疑わしい学説もある。あるいはまた大概の学校は周囲が広い明き地に囲まれているために風当たりが強く、その上に二階建てであるためにいっそういけないという解釈もある。いずれもほんとうかもしれない。しかしいずれにしても、今度のような烈風の可能性を知らなかったあるいは忘れていたことがすべての災厄の根本原因である事には疑いない。そうしてまた、工事に関係する技術者が我が邦《くに》特有の気象に関する深い知識を欠き、通りいっぺんの西洋直伝の風圧計算のみをたよりにしたためもあるのではないかと想像される。これについてははなはだ僭越《せんえつ》ながらこの際一般工学者の謙虚な反省を促したいと思う次第である。天然を相手にする工事では西洋の工学のみにたよることはできないのではないかというのが自分の年来の疑いであるからである。

(四)今度の大阪や高知県東部の災害は颱風《たいふう》による高潮のためにその惨禍を倍加したようである。未だ十分な調査資料を手にしないから確実なことは言われないが、もっともひどい損害を受けたおもな区域はおそらくやはり明治以後になってから急激に発展した新市街地ではないかと想像される。災害史によると、難波《なにわ》や土佐《とさ》の沿岸は古来しばしば暴風時の高潮のためになぎ倒された経験をもっている。それで明治以前にはそういう危険のあるような場所には自然に人間の集落が稀薄《きはく》になっていたのではないかと想像される。古い民家の集落の分布は一見偶然のようであっても多くの場合にそうした進化論的の意義があるからである。その大事な深い意義が、浅薄な「教科書学問」の横行のために蹂躙《じゅうりん》され忘却されてしまった。そうして付け焼き刃の文明に陶酔した人間はもうすっかり天然の支配に成功したとのみ思い上がって所嫌わず薄弱な家を立て連ね、そうして枕を高くしてきたるべき審判の日をうかうかと待っていたのではないかという疑いも起こし得られる。もっともこれは単なる想像であるが、しかし自分が最近に中央線の鉄道を通過した機会に信州《しんしゅう》や甲州《こうしゅう》の沿線における暴風被害を瞥見《べっけん》した結果気のついた一事は、停車場付近の新開町の被害が相当多い場所でも古い昔から土着と思わるる村落の被害が意外に少ないという例の多かった事である。これは、一つには建築様式の相違にもよるであろうが、また一つにはいわゆる地の利によるであろう。旧村落は「自然淘汰《しぜんとうた》」という時の試練に堪えた場所に「適者」として「生存」しているのに反して、停車場というものの位置は気象的条件などということは全然無視して官僚的政治的経済的な立場からのみ割り出して決定されているためではないかと思われるからである。

それはとにかく、今度の風害が「いわゆる非常時」の最後の危機の出現と時を同じゅうしなかったのは実に何よりのしあわせであったと思う。これが戦禍と重なり合って起こったとしたらその結果はどうなったであろうか、想像するだけでも恐ろしいことである。弘安《こうあん》の昔と昭和の今日とでは世の中が一変していることを忘れてはならないのである。

戦争はぜひとも避けようと思えば人間の力で避けられなくはないであろうが、天災ばかりは科学の力でもその襲来を中止させるわけにはいかない。その上に、何時如何《いか》なる程度の地震暴風津波洪水が来るか今のところ容易に予知することができない。最後通牒《つうちょう》も何もなしに突然襲来するのである。それだから国家を脅かす敵としてこれほど恐ろしい敵はないはずである。もっともこうした天然の敵のためにこうむる損害は敵国の侵略によって起こるべき被害に比べて小さいという人があるかもしれないが、それは必ずしもそうは言われない。たとえば安政《あんせい》元年の大震のような大規模のものが襲来すれば、東京から福岡に到るまでのあらゆる大小都市の重要な文化設備が一時に脅かされ、西半日本の神経系統と循環系統に相当ひどい故障が起こって有機体としての一国の生活機能に著しい麻痺《まひ》症状を惹起《じゃっき》する恐れがある。万一にも大都市の水道貯水池の堤防でも決壊すれば市民がたちまち日々の飲用水に困るばかりでなく、氾濫《はんらん》する大量の流水の勢力は少なくも数村を微塵《みじん》になぎ倒し、多数の犠牲者を出すであろう。水電の堰堤《えんてい》が破れても同様な犠牲を生じるばかりか、都市は暗闇になり肝心な動力網の源が一度に涸《か》れてしまうことになる。

こういうこの世の地獄の出現は歴史の教うるところから判断して決して単なる杞憂《きゆう》ではない。しかも安政年間には電信も鉄道も電力網も水道もなかったから幸いであったが、次に起こる「安政地震」には事情が全然ちがうということを忘れてはならない。

国家の安全を脅かす敵国に対する国防策は現に政府当局の間で熱心に研究されてい

るであろうが、ほとんど同じように一国の運命に影響する可能性の豊富な大天災に対する国防策は政府の何処で誰が研究し如何なる施設を準備しているかはなはだ心もとないありさまである。想うに日本のような特殊な天然の敵を四面に控えた国では、陸軍海軍のほかにもう一つ科学的国防の常備軍を設け、日常の研究と訓練によって非常時に備えるのが当然ではないかと思われる。陸海軍の防備が如何に十分であっても肝心な戦争の最中に安政程度の大地震や今回の颶風あるいはそれ以上のものが軍事に関する首脳の設備に大損害を与えたらいったいどういうことになるであろうか。そういうことはそうめったにないと言って安心していてよいものであろうか。

我が邦の地震学者や気象学者は従来かかる国難を予想してしばしば当局と国民とに警告を与えたはずであるが、当局は目前の政務に追われ、国民はその日の生活にせわしくて、そうした忠言に耳をかす暇《いとま》がなかったように見える。誠に遺憾なことである。

颶風の襲来を未然に予知し、その進路とその勢力の消長とを今よりもより確実に予測するためには、どうしても太平洋上ならびに日本海上に若干の観測地点を必要とし、その上にまた大陸方面からオホーツク海方面までも観測網を拡げる必要があるように思われる。然《しか》るに現在では細長い日本島弧の上に、言わばただ一聯《いちれん》の念珠のように観測所の列が分布しているだけである。たとえて言わば奥州《おうしゅう》街道から来るか東海道から来るか信越線から来るかもしれない敵の襲来に備えるために、ただ中央線の沿線だけに哨兵《しょうへい》を置いてあるようなものである。

新聞記事によると、アメリカでは太平洋上に浮き飛行場を設けて横断飛行の足がかりにする計画があるということである。うそかもしれないがしかしアメリカ人にとっては十分可能なことである。もしこれが可能とすれば、洋上に浮き観測所の設置ということもあながち学究の描き出した空中楼閣だとばかりは言われないであろう。五十年百年の後にはおそらく常識的になるべき種類のことではないかと想像される。

人類が進歩するに従って愛国心も大和魂《やまとだましい》もやはり進化すべきではないかと思う。砲烟弾雨の中に身命を賭《と》して敵の陣営に突撃するのもたしかに貴い日本魂《やまとだましい》であるが、○国や△国よりも強い天然の強敵に対して平生から国民一致協力して適当な科学的対策を講ずるのもまた現代にふさわしい大和魂の進化の一相として期待して然るべきことではないかと思われる。天災の起こった時に始めて大急ぎでそうした愛国心を発揮するのも結構であるが、昆虫や鳥獣でない二十世紀の科学的文明国民の愛国心の発露にはもう少しちがった、もう少し合理的様式があって然るべきではないかと思う次第である。

（昭和九年十一月、経済往来）

津浪と人間

昭和八年三月三日の早朝に、東北日本(五)の太平洋岸に津浪《つなみ》が襲来して、沿岸の小都市村落を片端から薙《な》ぎ倒し洗い流し、そうして多数の人命と多額の財物を奪い去った。明治二十九年六月十五日の同地方に起こったいわゆる「三陸大津浪」(六)とほぼ同様な自然現象が、約満三十七年後の今日再び繰り返されたのである。

同じような現象は、歴史に残っているだけでも、過去において何遍となく繰り返されている。歴史に記録されていないものがおそらくそれ以上に多数にあったであろうと思われる。現在の地震学上から判断される限り、同じ事は未来においても何度となく繰り返されるであろうということである。

こんなにたびたび繰り返される自然現象ならば、当該地方の住民は、疾《とう》の昔に何かしら相当な対策を考えてこれに備え、災害を未然に防ぐことが出来ていてもよさそうに思われる。これは、この際誰しもそう思うことであろうが、それが実際はなかなかそうならないというのがこの人間界の人間的自然現象であるように見える。学者の立場からは通例次のように云われるらしい。「この地方に数十年ごとに津浪の起こるのは既定の事実である。それだのにこれに備うる事もせず、また強い地震の後には津浪の来る恐れがあるというくらいの見やすい道理もわきまえずに、うかうかしているというのはそもそも不用意千万なことである。」

しかしまた、罹災者《りさい》の側に云わせれば、また次のような申し分がある。「それほど分かっている事なら、何故津浪の前に間に合うように警告を与えてくれないのか。正確な時日に予報できないまでも、もうそろそろ危ないと思ったら、もう少し前にそう云ってくれてもいいではないか、今まで黙っていて、災害のあった後に急にそんなことを云うのはひどい。」

すると、学者の方では「それはもう十年も二十年も前に疾《とう》に警告を与えてあるのに、それに注意しないからいけない」という。するとまた、罹災民は「二十年も前のことなどこのせち辛い世の中でとても覚えてはいられない」という。これはどちらの云い分にも道理がある。つまり、これが人間界の「現象」なのである。

災害直後時を移さず政府各方面の官吏、各新聞記者各方面の学者が駆け付けて詳細な調査をする。そうして周到な津浪災害予防案が考究され、発表され、その実行が奨励されるであろう。

さて、それからさらに三十七年経ったとする。その時には、今度の津浪を調べた役人、学者、新聞記者はたいていもう故人となっているか、さもなくとも世間からは隠退している。そうして、今回の津浪の時に働き盛り分別盛りであった当該地方の人々も同様である。そうして災害当時まだ物心のつくか付かぬであった人達が、その今から三十七年後の地方の中堅人士となっているのである。三十七年と云えばたいして長くも聞こえないが、日数にすれば一万三千五百五日である。その間に朝日夕日は一万三千五百五回ずつ平和な浜辺の平均水準線に近い波打ち際を照らすのである。津浪に懲りて、はじめは高いところだけに住居を移していても、五年たち、十年たち、十五年二十年とたつ間には、やはりいつともなく低いところを求めて人口は移って行くであろう。そうして運命の一万数千日の終わりの日が忍びやかに近づくのである。鉄砲の音に驚いて立った海猫が、いつの間にかまた寄って来るのと本質的の区別はないのである。

これが、二年、三年、あるいは五年に一回はきっと十数メートルの高波が襲って来るのであったら、津浪はもう天変でも地異でもなくなるであろう。

風雪というものを知らない国があったとする、年中気温が摂氏二十五度を下がる事がなかったとする。それがおおよそ百年に一遍くらいちょっとした吹雪があったとすると、それはその国には非常な天災であって、この災害はおそらく我が邦《くに》の津浪に劣らぬものとなるであろう。何故かと云えば、風のない国の屋根はたいてい少しの風にも吹き飛ばされるように出来ているであろうし、冬の用意のない国の人は、雪が降れば凍えるに相違ないからである。それほど極端な場合を考えなくてもよい。いわゆる颱風《たいふう》なるものが三十年五十年、すなわち日本家屋の保存期限と同じ程度の年数をへだてて襲来するのだったら結果は同様であろう。

夜というものが二十四時間ごとに繰り返されるからよいが、約五十年に一度、しかも不定期に突然に夜が廻《めぐ》り合わせてくるのであったら、その時に如何《いか》なる事柄が起こるであろうか。おそらく名状の出来ない混乱が生じるであろう。そうしてやはり人命財産の著しい損失が起こらないとは限らない。

さて、個人が頼りにならないとすれば、政府の法令によって永久的の対策を設けることは出来ないものかと考えてみる。ところが、国は永続しても政府の役人は百年の後には必ず入れ代わっている。役人が代わる間には法令も時々は代わる恐れがある。その法令が、無事な一万何千日間の生活にはなはだ不便なものである場合はなおさらそうである。政党内閣などというものの世の中だとなおさらそうである。

災害記念碑を立てて永久的警告を残してはどうかという説もあるであろう。しかし、はじめは人目に付きやすいところに立ててあるのが道路改修、市区改正等の行われる度にあちらこちらと移されて、おしまいには何処の山蔭《やまかげ》の竹藪《たけやぶ》の中に埋もれないとも限らない。そういう時に若干の老人が昔の例を引いてやかましく云っても、たとえば「市会議員」などというようなものは、そんなことは相手にしないであろう。そうしてその碑石が八重葎《やえむぐら》に埋もれた頃に、時分はよしと次の津浪がそろそろ準備されるであろう。

昔の日本人は子孫のことを多少でも考えない人は少なかったようである。それは実際いくらか考えばえがする世の中であったかもしれない。それでこそたとえば津浪を戒める碑を建てておいても相当な利き目があったのであるが、これから先の日本ではそれがどうであるかははなはだ心細いような気がする。二千年来伝わった日本人の魂でさえも、打ち砕いて夷狄《いてき》の犬に喰《く》わせようと云う人も少なくない世の中である。一代前の云い置きなどを歯牙《しが》にかける人はありそうもない。

しかし困ったことには「自然」は過去の習慣に忠実である。地震や津浪は新思想の流行などには委細かまわず、頑固に、保守的に執念深くやって来るのである。紀元前二十世紀にあったことが紀元二十世紀にもまったく同じように行われるのである。科学の方則とは畢竟《ひっきょう》「自然の記憶の覚え書き」である。自然ほど伝統に忠実なものはないのである。

それだからこそ、二十世紀の文明という空虚な名をたのんで、安政の昔の経験を馬鹿にした東京は大正十二年の地震で焼き払われたのである。

こういう災害を防ぐには、人間の寿命を十倍か百倍に延ばすか、ただしは地震津浪の週期を十分の一か百分の一に縮めるかすればよい。そうすれば災害はもはや災害でなく五風十雨の亜類となってしまうであろう。しかしそれが出来ない相談であるとすれば、残る唯一の方法は人間がもう少し過去の記録を忘れないように努力するより外はないであろう。

科学が今日のように発達したのは過去の伝統の基礎の上に時代時代の経験を丹念に

克明に築き上げた結果である。それだからこそ、颶風が吹いても地震が揺すってもびくとも動かぬ殿堂が出来たのである。二千年の歴史によって代表された経験的基礎を無視して他所《よそ》から借り集めた風土に合わぬ材料で建てた仮小屋のような新しい哲学などはよくよく吟味しないとはなはだ危ういものである。それにもかかわらず、うかうかとそういうものに頼って脚下の安全なものを棄てようとする、それと同じ心理が、正しく地震や津浪《つなみ》の災害を招致する、というよりはむしろ、地震や津浪から災害を製造する原動力になるのである。

津浪の恐れのあるのは三陸沿岸だけとは限らない、寛永《かんえい》安政の場合のように、太平洋沿岸の各地を襲うような大がかりなものが、いつかはまた繰り返されるであろう。その時にはまた日本の多くの大都市が大規模な地震の活動によって将棋倒しに倒されるという「非常時」が到来するはずである。それは何時だかは分からないが、来ることは来るというだけは確かである。今からその時に備えるのが、何よりも肝要である。

それだから、今度の三陸の津浪は、日本全国民にとっても人ごとではないのである。

しかし、少数の学者や自分のような苦労症の人間がいくら骨を折って警告を与えてみたところで、国民一般も政府の当局者もけっして問題にはしない、というのが、一つの事実であり、これが人間界の自然方則であるように見える。自然の方則は人間の力では枉《ま》げられない。この点では人間も昆虫も全く同じ境界にある。それで吾々《われわれ》も昆虫と同様明日の事など心配せずに、その日その日を享楽していって、一朝天災に襲われれば綺麗にあきらめる。そうして滅亡するか復興するかはただその時の偶然の運命に任せるということにする外はないという棄て鉢の哲学も可能である。

しかし、昆虫はおそらく明日に関する知識はもっていないであろうと思われるのに、人間の科学は人間に未来の知識を授ける。この点はたしかに人間と昆虫とでちがうようである。それで日本国民のこれら災害に関する科学知識の水準をずっと高めることが出来れば、その時にはじめて天災の予防が可能になるであろうと思われる。この水準を高めるには何よりもまず、普通教育で、もっと立ち入った地震津浪の知識を授ける必要がある。英独仏などの科学国の普通教育の教材にはそんなものはないと云う人があるかもしれないが、それはかの地には大地震や大津浪が稀《まれ》なためである。熱帯の住民が裸体で暮らしているからと云って寒い国の人がその真似をする謂《いわ》れはないのである。それで日本のような、世界的に有名な地震国の小学校では少なくも毎年一回ずつ一時間や二時間くらい地震津浪に関する特別講演があってもけっして不思議はないであろうと思われる。地震津浪の災害を予防するのはやはり学校で教える「愛国」の精神の具体的な発現方法の中でももっとも手近でもっとも有効なものの一つであろうと思われるのである。

〈追記〉三陸災害地を視察して帰った人の話を聞いた。ある地方では明治二十九年の災害記念碑を建てたが、それが今では二つに折れて倒れたままになってころがっており、碑文などはまったく読めないそうである。またある地方では同様な碑を、山腹道路の傍で通行人のもっともよく眼のつく処に建てておいたが、その後新道が別に出来たために記念碑のある旧道は淋《さび》れてしまっているそうである。それからもう一つ意外な話は、地震があってから津浪の到着するまでに通例数十分かかるという平凡な科学的事実を知っている人がかの地方に非常に稀だということである。前の津浪に遭った人でもたいていそんなことは知らないそうである。

（昭和八年五月、鉄塔）

流言蜚語

長い管の中へ、水素と酸素とを適当な割合に混合したものを入れておく、そうしてその管の一端に近いところで、小さな電気の火花を瓦斯《ガス》の中で飛ばせる、するとその火花のところで始まった燃焼が、次へ次へと伝播《でんぱ》していく、伝播の速度が急激に増加し、ついにいわゆる爆発の波となって、驚くべき速度で進行していく。これはよく知られた事である。

ところが水素の混合の割合があまり少な過ぎるか、あるいは多過ぎると、たとえ火花を飛ばせても燃焼が起こらない。もっとも火花のすぐそばでは、火花のために化学作用が起こるが、そういう作用が、四方へ伝播しないで、そこ限りですんでしまう。

流言蜚語《ひご》の伝播の状況には、前記の燃焼の伝播の状況と、形式の上から見て幾分か類似した点がある。

最初の火花に相当する流言の「源」がなければ、流言蜚語は成立しない事はもちろんであるが、もしもそれを次へ次へと受け次ぎ取り次ぐべき媒質が存在しなければ「伝播」は起こらない。したがっていわゆる流言が流言として成立しえないで、その場限りに立ち消えになってしまう事も明白である。

それで、もし、ある機会に、東京市中に、ある流言蜚語の現象が行われたとすれば、その責任の少なくも半分は市民自身が負わなければならない。事によるとその九割以上も負わなければならないかもしれない。何となれば、ある特別な機会には、流言の源となり得べき小さな火花が、故意にも偶然にも到るところに発生するという事は、ほとんど必然な、不可抗的な自然現象であるとも考えられるから。そしてそういう場合にもし市民自身が伝播の媒質とならなければ流言はけっして有効に成立しえないのだから。

「今夜の三時に大地震がある」という流言を発したものがあったと仮定する。もしもその町内の親爺《おやじ》株の人のたとえば三割でもが、そんな精密な地震予知の不可能だという現在の事実を確実に知っていたなら、そのような流言の卵は孵化《かえ》らないで腐ってしまうだろう。これに反して、もしそういう流言が、有効に伝播したとしたら、どうだろう。それは、このような明白な事実を確実に知っている人が如何《いか》に少数であるかという事を示す証拠と見られても仕方がない。

大地震、大火事の最中に、暴徒が起こって東京中の井戸に毒薬を投じ、主要な建物に爆弾を投じつつあるという流言が放たれたとする。その場合に、市民の大多数が、仮に次のような事を考えてみたとしたら、どうだろう。

たとえば市中の井戸の一割に毒薬を投ずると仮定する。そうして、その井戸水を一人の人間が一度飲んだ時に、その人を殺すか、ひどい目に逢《あ》わせるに充分なだけの濃度にその毒薬を混ずるとする。そうした時にはたしてどれだけの分量の毒薬を要するだろうか。この問題に的確に答えるためには、もちろんまず毒薬の種類を仮定した上で、その極量を推定し、また一人が一日に飲む水の量や、井戸水の平均全量や、市中の井戸の総数や、そういうものの概略な数値を知らなければならない。しかし、いわゆる科学的常識というものからくる漠然とした概念的の推算をしてみただけでも、それが如何に多大な分量を要するだろうかという想像ぐらいはつくだろうと思われる。いずれにしても、暴徒は、地震前からかなり大きな毒薬のストックをもっていたと考えなければならない。そういう事は有りえない事ではないかもしれないが、少しおかしい事である。

仮にそれだけの用意があったと仮定したところで、それからさきがなかなか大変である。何百人、あるいは何千人の暴徒に一々部署を定めて、毒薬を渡して、各方面に派遣しなければならない。これがなかなか時間を要する仕事である。さてそれが出来たとする。そうして一人一人に授けられた缶を背負って出掛けた上で、自分の受持ち方面の井戸の在所を捜して歩かなければならない。井戸を見つけて、それから人の見ない機会をねらって、いよいよ投下する。しかし有効にやるためにはおおよその井戸水の分量を見積もってその上で投入の分量を加減しなければならない。そうして、それを投入した上で、よく溶解し混和するようにかき交ぜなければならない。考えてみるとこれはなかなか大変な仕事である。

こんな事を考えてみれば、毒薬の流言を、全然信じないとまでは行かなくとも、少なくも銘々の自宅の井戸についての恐ろしさはいくらか減じはしないだろうか。

爆弾の話にしても同様である。市中の目ぼしい建物に片っぱしから投げ込んであるくために必要な爆弾の数量や人手を考えてみたら、少なくも山の手の貧しい屋敷町の人々の軒並みに破裂しでもするような過度の恐慌を惹き起こさなくてもすむ事である。

もっとも、非常な天災などの場合にそんな気楽な胸算用などをやる余裕があるものではないといわれるかもしれない。それはそうかもしれない。そうだとすれば、それはその市民に、本当の意味での活《い》きた科学的常識が欠乏しているという事を示すものではあるまいか。

科学的常識というのは、何も、天王星の距離を暗記していたり、ビタミンの色々な種類を心得ていたりするだけではないだろうと思う。もう少し手近なところに活きて働くべき、判断の標準になるべきものでなければなるまいと思う。

もちろん、常識の判断はあてにならない事が多い。科学的常識はなおさらである。しかし適当な科学的常識は、事に臨んで吾々《われわれ》に「科学的な省察の機会と余裕」を与える。そういう省察の行われるところにはいわゆる流言蜚語のごときものは著しくその熱度と伝播能力を弱められなければならない。たとえ省察の結果が誤っていて、そのために流言が実現されるような事があっても、少なくも文化的市民としての甚だしい恥辱を曝《さら》す事なくて済みはしないかと思われるのである。

（大正十三年九月、東京日日新聞）

政治と科学

日本では政事を「まつりごと」と云う。政治と祭祀《さいし》とが密接に結合していたからである。これはおそらく世界共通の現象で、現在でも未開国ではその片影を認めることが出来るようである。祭祀その他宗教的儀式と聯関《れんかん》して色々の巫術《ふじゅつ》魔術と云ったようなものも民族の統治者の主権のもとに行われてそれが政治の重要な項目の一つになっていたように思われる。

そうした祭祀や魔術の目的は色々であったろうが、その一つの目的は吾々人間の力でどうにもならない、広い意味での「自然」の力を何かしら超自然の力を借りて制御し自由にしたいという欲望の実現ということにあったようである。たとえば、五穀の豊饒《ほうじょう》を祈り、風水害の免除を禱《いの》り、疫病の流行のすみやかに消熄《しょうそく》することを乞《こ》いのみまつったのである。かくして民族の安寧と幸福を保全することが為政者のもっとも重要な仕事の少なくも一部分であったのである。

この重要な仕事に聯関して天文や気象に関する学問の胚芽《はいが》のようなものが古い昔にすでに現われはじめ、また巫呪占巫の魔術からも色々な自然科学の先祖のようなものが生まれたというのは周知のことである。このように「自然」を相手の仕事から自然の研究が始まり、それがついに自然科学にまで発達するということは全く当然な過程であると云わなければならない。

そうだとすると、昔の主権者為政者のもとに祭官、巫術師らの行った仕事の一部は今日では彼らの後裔《こうえい》の科学者の手によって行われておるべきはずである。そうして、ある見方で見れば実際それがそうなっているのである。たとえば五穀の収穫や沿海の漁獲や採鉱冶金《やきん》の業に関しては農林省管下にそれぞれの試験場や調査所などがあって「科学的政道」の一端を行っており、疫病流行に関しては伝染病研究所や衛生試験所やその他色々の施設があり、風水旱害《かんがい》に関しても気象台や関係諸機関が存在しているようである。これらの政府の諸機関は、少なくもその究極の目的においては、昔の祭官や巫術者のそれと共通なものをもっていることは事実である。

昔の為政者の仕事のうちで今日の見地から見て科学的と考えられるものは上記のご

とき宗教的色彩あるもののほかにも色々あった。たとえば、天智天皇の御代《みよ》だけについて見ても「是歳造水碓《みずうす》而冶鐵《かねわかす》」とか「始用漏剋」とか貯水池を築いて「水城」と名づけたとか、「指南車」「水臬《みずはかり》」のような器械の献上を受けたり、「燃ゆる土、燃ゆる水」の標本の進達があったりしたようなことが、この御代の政治とどんな交渉があったか無かったか、それは分からないが、ともかくも、当時の為政者の注意を引いた出来事であったには相違ない。おそらく古代では国君ならびにその輔佐《ほさ》の任に当たる大官たちみずからこれらの科学的な事柄にも深い思慮を費やしたのではないかと想像される。

しかるに時代の進展とともに事情がよほど変わって来た。政治法律経済と云ったようなものがいつの間にか科学やその応用としての工業産業と離れて分化するような傾向をとって来た。科学的な知識などは一つも持ち合わせなくても大政治家大法律家になれるし、大臣局長にも代議士にもなりうるという時代が到来した。科学的な仕事は技師技手に任せておけばよいというようなことになったのである。そうしてそれらの技術官は一国の政治の本筋に対して主動的に参与することはほとんどなくて、多くの場合には技術に疎く理解のない政治家的ないし政治屋的為政者の命令のもとに単に受動的にはたらく「機関」としての存在を享楽しているだけである、と云ってもあまり甚だしい過言とは思われない状態である。このような状態は○○などにおいて特に顕著なようである。

科学に関する理解のはなはだ薄い上長官からかなり無理な注文が出ても、技師技手は、それは出来ないなどということは出来ない地位におかれている。それで出来ないものを出来そうとすれば何かしら無理をするとか誤魔かすとかするよりほかに途《みち》はない、と云ったような場合も往々あるようである。また一方下級の技術官たちの間では実に明白に有効重要と思われる積極的あるいは消極的方策があっても、その見やすい事が、取捨の全権を握っている上長官に透徹するまでにはしばしば容易ならぬ抵抗に打ち勝つことが必要である。ことにその間に庶務とか会計とかいう「純粋な役人」の系列が介在している場合はなおさら科学的方策の上下疏通《そつう》が困難になる道理である。

具体的に云うことが出来ないのは遺憾であるが、自分の知っている多数の実例において、科学者の眼から見れば実に話にもならぬほど明白な事柄が最高級な為政者にどうしても通ぜず分からないために国家が非常な損をしまた危険を冒していると思われるふしがけっして少なくないのである。中にはよくよく考えてみると国家国民の将来のために実に心配で枕を高くして眠られないようなことさえあるのである。

　このような状態を誘致した主な原因は、政治というものと科学というものとが何ら直接の関係もないものだ、という誤った仮定にあるのではなかろうかと思われる。昔の政事に祭り事が必要であったと同様に文化国の政治には科学が奥底まで滲透《しんとう》し密接に綯《な》い交ぜになっていなければ到底国運の正当な進展は望まれず、国防の安全は保たれないであろうと思われる。

　これは日本と関係のないよその話ではあるが、自分の知るところでは一九一〇年ごろの(七)カイゼル・ウィルヘルム第二世は事あるごとに各方面の専門学術に熟達したいわゆるゲハイムラート・プロフェッソルを呼びつけて、水入らずのさし向かいで色々の科学知識を提供させて何かの重要計画の参考としていたようである。カイゼルの当時の雄図の遂行に出来うるだけ多くの科学を利用しようとしたのではないかと想像される。その結果から得た自信がカイザーをあの欧州大戦に導いたのかもしれないという気がする。それはとにかく、ドイツではすでにそのころから政治と科学とが没交渉ではなかったと云ってもよい。

　よくは知らないが現在のソビエト・ロシアの国是にも科学的産業振興策がかなり重

要な因子として認められているらしい。たとえば飛行機だけ見てもなかなか馬鹿にならない進歩を遂げているようである。おそらくロシアでは日本などとちがって科学がかなりまで直接政治に容喙《ようかい》する権利を許されているのではないかと想像される。

日本では科学は今ごろ「奨励」されているようである。驚くべき時代錯誤ではないかと思う。世界では奨励時代は疾《とう》の昔に過ぎ去ってしまっているのではないか。他国では科学が疾の昔に政治の肉となり血となって活動しているのに、日本では科学が温室の蘭か何ぞのように珍重され鑑賞されているのではまったく心細い次第であろう。

その国の最高の科学が「主動的に」その全能力を挙げて国政の枢機に参与し国防の計画に貢献するのが当然ではないかと思われるのに、事はまったくこれに反するように思われるのである。科学はまったく受動的に非科学の奴僕となっているためにその能力を発揮することが出来ず、そのために無能視されて叱られてばかりいるのではないかという気もする。いったい二十世紀の文明国と名乗る国がらからすれば、内閣に一人や二人の然るべき科学大臣がいてもよさそうであり、国防最高幹部に優れた科学者参謀の三、四人がいても悪いことはなさそうに思えるのであるが、これも畢竟《ひっきょう》は世の中を知らぬ老学究の机上の空想に過ぎないのかもしれない。

（昭和十年四月、中央公論「自由画稿」）

何故泣くか

芝居を見ていると近所の座席にいる婦人たちの多数が実によく泣く、それから男も泣く、泣きそうもないような逞《たくま》しい大男でかえって女よりもみごとによく泣くのもある。

これらの観客はたぶんこうして泣きたいために忙しい中を繰り合わせ、乏しい小使い銭を都合して入場しているものと思われる。こうして芝居を見ながら泣くということは、それほどに望ましい本能的生理的欲求であるらしい。

人間は何故泣くか、泣くとは何を意味するか。「悲しいから泣く」という普通の解釈はまるで嘘ではないまでもけっして本当ではないようである。

「泣く」ということは涙を流して顔面の筋にある特定の収縮を起こすことであると仮定し、そうした動作に伴う感情を「悲しい」と名づけるとすると、「泣く」と「悲しい」との間の因果関係はむしろ普通に云うのと逆になるかもしれない。「悲しいから」と云うのを「悲しむべき事情が身辺に迫ったから」という意味に解釈する、たとえば自身にもっとも親しい者が非業の死をとげたからというふうに理解すると、それはたしかに泣くことの一つの条件にはなるが、それだけでは泣くための必要条件はけっして揃わないのである。たとえば、ある書物に引用された実例に拠《よ》ると、ある医者は、街上で轢《ひ》かれた十歳になる我が子の瀕死《ひんし》の状態を見ても涙一滴こぼさず、応急の手当に全力を注いだ。数時間後に絶命した後にもまだ涙は見せなかった。しばらくして後にその子の母から、その日の朝その子供のしたある可愛い行動について聞かされたときに始めて流涕《りゅうてい》したそうである。これと似た経験はおそらく多数の人がもち合わせていることと思われる。

テニスン(八)の詩「プリンセス」に「戦士の亡骸《なきがら》が搬《はこ》び込まれたのを見ても彼女は気絶もせず泣きもしなかったので、侍女たちは、これでは公主の命が危いと言った、その時九十歳の老乳母が戦士の子を連れて来てそっと彼女の膝《ひざ》に抱きのせた、すると、夏の夕立のように涙が降って来た」というくだりがある。

以下はある男の告白である。

「自分が若くて妻を亡《うしな》ったときも、ちっとも涙なんか出なかった。ただ非常に緊張したような気持ちであった。親戚《しんせき》の婦人たちが自由自在に泣けるのが不思議な気がした。遺骸《いがい》を郊外山腹にある先祖代々の墓地に葬った後、生々しい土饅頭《つちまんじゅう》の前に仮の祭壇をしつらえ神官が簡単なのりとをあげた。自分は二歳になる遺児を膝にのせたまま腰をかけてそののりとを聞いていたときに、今まで吹き荒れていた風が突然凪《な》いだかのように世の中が静寂になりそうして異常に美しくなったような気がした。山の樹立ちも墓地から見下ろされる麓《ふもと》の田園もおりから夕暮れの空の光に照らされて、いつも見馴《みな》れた景色がかつて見たことのない異様な美しさに輝くような気がした。そうしてそのような空の光の下に無心の母なき子を抱いて俯向《うつむ》いている自分自身の姿をはっきり客観した、その瞬間に思いもかけず熱い涙が湧くように流れ出した。」

フランス映画「居酒屋」でも淪落《りんらく》の女が親切な男に救われて一皿の粥《かゆ》をすすって眠った後にはじめて永い間涸《か》れていた涙を流す場面がある。「勧進帳」で弁慶《べんけい》が泣くのでも絶体絶命の危機を脱したあとである。

こんな実例から見ると、こうした種類の涙は異常な不快な緊張が持続した後にそれがようやく弛緩《しかん》し始める際に流れ出すものらしい。

嬉《うれ》し泣きでも同様である。たいてい死んだであろうと思われていた息子が無事に帰ったとか、それほどでなくとも、心配していた子供の入学試験がうまく通ったというのでもやはり緊張の弛《ゆる》む瞬間に涙が出るのである。

頑固親爺《おやじ》が不孝息子を折檻《せっかん》するときでも、こらえこらえた怒りを動作に移してなぐりつける瞬間に不覚の涙をぽろぽろとこぼすのである。これにはもちろん子を憐《あわ》れみまた自分を憐れむ複雑な心理が伴ってはいるが、しかしともかくもそうした直接行動によって憤怒《ふんぬ》の緊張は緩和され、そうして自己を客観することの出来るだけに余裕のある状態に移って行くのである。そうして可愛い我が子を折檻しなければならない我が身の悲運を客観するときにはじめて泣くことが出来るらしい。

芥川竜之介《あくたがわりゅうのすけ》の小品に次のような例がある。

山道のトロッコにうっかり乗った子供が遠くまではこばれた後に車から降ろされただ一人取り残されて急に心細くなり、夢中になって家路をさしていっさんに駆け出す。泣き出しそうにはなるが一生懸命だから思うようには泣けない、ただ鼻をくうくう鳴らすだけであった。やっと我が家に飛び込むと同時にわっと泣き出して止め度もなく泣きつづけるのである。

小さな子が道で顚《ころ》んで臑《すね》や掌《てのひら》をすりむいても、人が見ていないと容易には泣かない、誰かが見つけていたわるとはじめて泣き出す、それが母親などだと泣き方がいっそう烈《はげ》しい。

大人でも色々な不仕合わせを主観して苦しんでいる間はなかなか泣けないが、不幸な自分を客観し憐れむ態度がとれるようになって初めて泣くことが許されるようである。

こういうふうに考えてくると流涕して泣くという動作には常にもっとも不快不安な緊張の絶頂からの解放という、消極的ではあるがとにかく一種の快感が伴っていて、それが一道の暗流のように感情の底層を流れているように思われる。

嬉しい事は、嬉しくないことの続いた後に来てはじめて嬉しさを十分に発揮する。このように、遂げられなかった欲望がやっと遂げられたときの狂喜と、底なしの絶望の闇に一道の希望の微光がさしはじめた瞬間の慟哭《どうこく》とは一見無関係のようではあるが、実は一つの階段の上層と下層とに配列されるべきものではないかと思われる。

この流涕の快感は多くの場合に純粋に味わうことが困難である。その泣くことの原因は普通自分の利害と直接に結びついているのであるから、最大緊張の弛緩から来る涙の中から、もうすぐに現在の悲境に処する対策の分別が頭を擡《もた》げて来るから、せっかく出かけた涙とそれに伴う快感とはすぐに牽制《けんせい》されてしまわなければならない。

そういう牽制を受ける心配なしに、泣くことの快感だけを存分に味わうためのもっとも便利な方法がすなわち芝居、特にいわゆる大甘物の通俗劇を見物することである。その劇中の人物に自己を投射しあるいは主人公を自分に投入することによって、その劇中人物が実際の場合に経験するであろうところの緊張とそれに次いで来るように設計された弛緩とを如実に体験すると同等の効果を満喫して涙を流しはなをする、と同時に泣くことの快感に浸るのである。しかもこの場合劇中人物のあらゆる事件葛藤《かっとう》は観客自身の利害と感情的にはとにかく事実的に何の交渉もないのであるから、涙の中から顔を出して来るような将来への不安も心配も何もないのである。換言すれば、泣くことの快楽をもっとも純粋なる形において享楽するのである。

この享楽をいっそう純粋ならしめるためには芝居の筋などはむしろなるべく簡単なほうがいいらしい。深刻なモラールやフィロソフィーなどの薬味が利き過ぎて、おおいに考えさせられたりひどく感心させられたりするようだと、大脳皮質の余計な部分の活動に牽制されて、泣くことの純粋さが害《そこな》われることになる。そうした芸術的に高等な芝居が、生理的享楽のために泣きに行く観客に評判のわるいのはきわめて当然なことであろうと思う。

原因は少しも分からなくてもさも可笑《おか》しそうに笑っている人を見れば自分も笑いたくなると同様に、上手な俳優が身も世もあられぬといったような悲しみの涙をしぼって見せれば、元来泣くように準備の調っている観客の涙腺《るいせん》は猶予なく過剰分泌を開始するのであって、云わば相撲を見ていると不知《しらず》不識《しらず》握り拳《こぶし》を堅くするのとよく似た現象であろうと想像される。その上に少しばかり泣くために有効な心理的な機構が附加されていれば効果はそれだけで十分であって、前後を通じての筋の論理的のつながりなどはたいした問題にはならないのである。こういう見方からすれば、芸術的な高級演劇がさっぱり商売にならないで芸術などは相手にしない演劇会社社長の打つ甘い新派劇などが満員をつづけるのが不思議でなくなるようである。

話は変わるが、日本では昔から「ものの哀れ」ということが色々な芸術の指導原理か骨髄かあるいは少なくも薬味ないしビタミンのごときものであると考えられていた。西洋でも（九）ラスキンなどは「一抹の悲哀を含まないものに真の美はあり得ない」と云ったそうである。これから考えても悲哀ということ自身はけっして厭《いと》わしい恐るべきことではなくてかえって多くの人間の自然に本能的に欲求するものであることが推測される。ただ悲哀に随伴する現実的利害関係が迷惑なのである。

悲しくない泣き方も色々ある。あんまり可笑しくて笑いこけても涙が出るが、笑うのと泣くのは元来紙一重だからこれは当然である。しかし感情的でない泣き方も色々あるのであって、その一特例としては、疲れたときに欠伸《あくび》をすると涙が出る。欠伸をするときの吾々《われわれ》の顔は手ばなしで泣きわめく時の顔とかなりまでよく似ている。嘘と思う人は鏡を見ながら比較してみれば分かる。この欠伸というのがやはり緊張から弛緩へ移るときに起こる生理的現象であって、とにかく顔面をゆがめ、声は出さなくても呼気を長くつき出し、そうしてぽろぽろ涙をこぼすのである。そうしてさんざん欠伸をしたあとのさっぱりした気持ちもおおいに泣いたあとのすがすがしい心地と何処か似ているようである。それだから、上手の芝居を見て泣くのも、下手の芝居を見て欠伸をするのも生理的にはただ少しのちがいかもしれないと思われる。

眼に煙がはいったときや、山葵《わさび》の利き過ぎたすしを食ったときにこぼす涙などは上記のものとは少し趣を異にするようである。それからまた、胃の洗滌《せんじょう》をすると云って長いゴム管を咽喉《いんこう》から無理に押し込まれたとき、鼻汁と一緒に他愛なくこぼれる涙に到っては真《まこと》に沙汰《さた》の限りである。

しかしこんな純生理的な涙でも、また悲しくて出る涙でも、あれが出ないと、何かしらひどくいけない悪効果が吾々の身体の全機構の何処かに現われる恐れがある、それをあのように涙をこぼすことによって救助し緩和するような仕掛けになっているのではないかという疑いが起こる。云わば高圧釜の安全弁のように適当な瞬間に涙腺の分泌物を噴出して何かの危険を防止するのではないか、そうでないとどうも涙の科学的意義が呑《の》み込めない。

ある通俗な書物によると、甲状腺の活動が旺盛《おうせい》な時期には性的刺戟《しげき》に対する感度が高まると同時にあらゆる情緒的な刺戟にも敏感になり、つまり泣きやすくもなるそうである。青春の男女のよく泣くのはそのためかと思われる。しかし非常に年を取った婆さんなどが御馳走《ごちそう》を食うときに鼻汁ばかりか涙まで流すのはあれはどういうのだかいささか神秘的である。

人間以外の動物で「泣く」のがあるかどうか。日本では馬が泣く話がある。ダーウィンは象その他若干の獣が泣くと主張したがその説は確認されてはいないそうである。ともかくも明白に正真正銘に「泣き」また「笑う」のはだいたいにおいて人間の特権であるらしいから、吾々はこの特権をもっとも有効に使用するように注意したいものである。しかしまたこれが人間の仕事のうちでいちばん六《むつ》かしいことのようにも思われる。

（昭和十年五月、中央公論「自由画稿」）

震災日記より

大正十二年八月二十四日。曇、後驟雨《しゅうう》
子供らと志村の家へ行った。崖《がけ》下の田圃路《たんぼみち》で南蛮ぎせるという寄生植物をたくさん採集した。加藤首相痼疾《こしつ》急変して薨去《こうきょ》。

八月二十五日。晴
日本橋で散弾二斤買う。ランプの台に入れるため。

八月二十六日。曇、夕方雷雨
月蝕《げっしょく》雨で見えず。夕方珍しい電光Rocket lightningが西から天頂へかけての空に見えた。ちょうど紙テープを投げるように西から東へ延びて行くのであった。一同で見物する。この歳になるまでこんなお光りは見たことがないと母上が云う。

八月二十七日。晴

志村の家で泊まる、珍しい日本晴。旧暦十六夜《いざよい》の月が赤く森から出る。

八月二十八日。晴、驟雨

朝霧が深く地を這《は》う。草刈。百舌《もず》が来たが鳴かず。夕方の汽車で帰る頃雷雨の先端が来た。加藤首相葬儀。

八月二十九日。曇、午後雷雨

午前気象台で藤原君の渦や雲の写真を見る。

八月三十日。晴

妻と志村の家へ行きスケッチ板一枚描く。

九月一日。（土曜）

朝はしけ模様で時々暴雨が襲って来た。非常な強度で降っていると思うと、まるで断ち切ったようにぱたりと止む、そうかと思うとまた急に降り出す実に珍しい断続的な降り方であった。雑誌「文化生活」への原稿「石油ランプ」を書き上げた。雨が収まったので上野二科会展招待日の見物に行く。会場に入ったのが十時半頃。蒸し暑かった。フランス展の影響が著しく眼についた。T君と喫茶店で紅茶を呑みながら同君の出品画「I崎の女」に対するそのモデルの良人《おっと》からの撤回要求問題の話を聞いているうちに急激な地震を感じた。椅子に腰かけている両足の蹠《あしのうら》を下から木槌《きづち》で急速に乱打するように感じた。たぶんその前に来たはずの弱い初期微動を気が付かずに直ちに主要動を感じたのだろうという気がして、それにしても妙に短週期の振動だと思っているうちにいよいよ本当の主要動が急激に襲って来た。同時に、これは自分の全く経験のない異常の大地震であると知った。その瞬間に子供の時から何度となく母上に聞かされていた土佐の安政地震の話がありあり想い出され、ちょうど船に乗ったように、ゆたりゆたり揺れると云う形容が適切である事を感じた。仰向《あおむ》いて会場の建築の揺れ工合《ぐあい》を注意して見ると四、五秒ほどと思われる長い週期でみしみしみしみしと音を立てながら緩やかに揺れていた。それを見たときこれならこの建物は大丈夫だということが直感されたので恐ろしいという感じはすぐになくなってしまった。そうして、この珍しい強震の振動の経過を出来るだけ精《くわ》しく観察しようと思って骨を折っていた。主要動が始まってびっくりしてから数秒後に一時振動が衰え、この分では大した事もないと思う頃にもう一度急激な、最初にも増した烈《はげ》しい波が来て、二度目にびっくりさせられたが、それからは次第に減衰して長週期の波ばかりになった。

同じ食卓に居た人々はたいてい最初の最大主要動で吾《われ》勝ちに立ち上がって出口の方へ駆け出して行ったが、自分らの筋向いに居た中年の夫婦はその時はまだ立たなかった。しかもその夫人がビフテキを食っていたのが、少なくも見たところ平然と肉片を口に運んでいたのがハッキリ印象に残っている。しかし二度目の最大動が来たときは一人残らず出てしまって場内はがらんとしてしまった。油画《あぶらえ》の額はゆがんだり、落ちたりしたのもあったがたいていはちゃんとして懸かっているようであった。これで見ても、そうこの建物の震動は激烈なものでなかったことがわかる。あとで考えてみると、これは建物の自己週期が著しく長いことが有利であったのであろうと思われる。

震動が衰えてから外の様子を見に出ようと思ったが喫茶店のボーイも一人残らず出て

しまって誰も居ないので勘定をすることが出来ない。それで勘定場近くの便所の口へ出て低い木柵《もくさく》越しに外を見ると、そこに一団、かしこに一団という風に人間が寄り集まって茫然《ぼうぜん》として空を眺めている。この便所口から柵を越えて逃げ出した人々らしい。空はもう半ば晴れていたが千切れ千切れの綿雲が嵐の時のように飛んでいた。そのうちにボーイの一人が帰って来たので勘定をすませた。ボーイがひどく丁寧に礼を云ったように記憶する。出口へ出るとそこでは下足番の婆さんがただ一人落ち散らばった履き物の整理をしているのを見つけて、預けた蝙蝠傘《こうもりがさ》を出してもらって館の裏手の集団の中からT画伯を捜しあてた。同君の二人の子供も一緒に居た。その時気のついたのは附近の大木の枯れ枝の大きなのが折れて墜《お》ちている。地震のために折れ落ちたのかそれとも今朝の暴風雨で折れたのか分からない。T君に別れて東照宮前の方へ歩いて来ると異様な黴《かび》臭い匂いが鼻を突いた。空を仰ぐと下谷《したや》の方面からひどい土ほこりが飛んで来るのが見える。これは非常に多数の家屋が倒潰《とうかい》したのだと思った、同時に、これでは東京中が火になるかもしれないと直感された。東照宮前から境内を覗《のぞ》くと石《いし》燈籠《どうろう》は一つ残らず象棋倒しに北の方へ倒れている。大鳥居の柱は立っているが上の横《よこ》桁《げた》が外れかかり、しかも落ちないで危うく止まっているのであった。精養軒のボーイ達が大きな桜の根元に寄り集まっていた。大仏の首の落ちた事は後で知ったがその時は少しも気が付かなかった。池の方へ下りる坂脇の稲荷《いなり》の鳥居も、柱が立って桁が落ち砕けていた。坂を下りて見ると不忍《しのばず》弁天の社務所が池の方へのめるように倒れかかっているのを見て、なるほどこれは大地震だなということがようやくはっきり呑み込めて来た。

無事な日の続いているうちに突然に起こった著しい変化を充分にリアライズするには存外手数が掛かる。この日は二科会を見てから日本橋辺りへ出て昼飯を食うつもりで出掛けたのであったが、あの地震を体験し下谷の方から吹上げて来る土埃《つちぼこ》りの臭いを嗅《か》いで大火を予想し東照宮の石燈籠のあの象棋倒しを眼前に見ても、それでもまだ昼飯のプログラムは帳消しにならずそのままになっていた。しかし弁天社務所の倒潰を見たとき初めてこれはいけないと思った、そうして始めて我が家の事が少し気懸かりになって来た。

弁天の前に電車が一台停まったまま動きそうもない。車掌に聞いてもいつ動き出すか分からないという。後から考えるとこんなことを聞くのが如何《いか》な非常識であったかがよく分かるのであるが、その当時自分と同様の質問を車掌に持ち出した市民の数は万をもって数えられるであろう。

動物園裏まで来ると道路の真中へ畳を持ち出してその上に病人をねかせているのがあった。人通りのない町はひっそりしていた。根津《ねづ》を抜けて帰るつもりであったが頻繁に襲って来る余震で煉瓦《れんが》壁の頽《くず》れかかったのがあらたに倒れたりするのを見て低湿地の街路は危険だと思ったから谷中三崎町《やなかさんさきちょう》から団子坂《だんござか》へ向かった。谷中の狭い町の両側に倒れかかった家もあった。塩煎餅《しおせんべい》屋の取り散らされた店先に烈日の光がさしていたのが心を引いた。団子坂を上って千駄木《せんだぎ》へ来るともう倒れかかった家などは一軒もなくて、所々ただ瓦《かわら》の一部分剥《は》がれた家があるだけであった。曙町《あけぼのちょう》へはいると、ちょっと見たところではほとんど何事も起こらなかったかのように森閑として、春のように朗らかな日光が門並みを照らしている。宅の玄関へはいると妻は箒《ほうき》を持って壁の隅々からこぼれ落ちた壁土を掃除しているところであった。隣の家の前の煉瓦塀はすっかり道路へ崩れ落ち、隣と宅の境の石垣も全部、これは宅の方へ倒れている。もし裏庭へ出ていたら危険なわけであった。聞いてみるとかなりひどいゆれ方で居間の唐紙がすっかり倒れ、猫が驚いて庭へ飛び出したが、我が家の人々は飛び出さなかった。これは平生幾度となく家族に云い含めてあったことの効果があったのだというような気がした。ピアノが台の下の小滑車で少しばかり歩き出しており、花瓶台の上の花瓶が板間にころがり落ちたのが不思議に砕けないでちゃんとしていた。あとは瓦が数枚落ちたのと壁に亀裂が入ったくらいのものであった。長男が中学校の始業日で本所《ほんじょ》の果てまで行っていたのだが地震のときはもう帰宅していた。それで、時々の余震はあっても、その余は平日と何も変わったことがないような気がして、ついさきに東京中が火になるだろうと考えたことなどは綺麗《きれい》に忘れていたのであった。

そのうちに助手の西田君が来て大学の医化学教室が火事だが理学部は無事だという。N君が来る。隣のTM教授が来て市中所々出火だという。縁側から見ると南の空に珍しい積雲が盛り上がっている。それは普通の積雲とはまったくちがって、先年桜島《さくらじま》大噴火の際の噴雲を写真で見るのと同じように典型的のいわゆるコーリフラワー状のものであった。よほど盛んな火災のために生じたものと直感された。この雲の上には実に東京ではめったに見られない紺青の秋の空が澄み切って、じりじり暑い残暑の日光が無風の庭の葉鶏頭に輝いているのであった。そうして電車の音も止まり近所の大工の音も止み、世間がしんとして実に静寂な感じがしたのであった。

夕方藤田君が来て、図書館と法文科も全焼、山上《さんじょう》集会所も本部も焼け、理学部では木造の数学教室が焼けたと云う。夕食後E君と白山《はくさん》へ行って蠟燭《ろうそく》を買って来る。TM氏が来て大学の様子を知らせてくれた。夜になってから大学へ様子を見に行く、図書館の書庫の中の燃えているさまが窓外からよく見えた。一晩中くらいはかかって燃えそうに見えた。普通の火事ならば大勢の人が集まっているであろうに、あたりには人影もなくただ野良犬が一匹そこいらにうろうろしていた。メートルとキログラムの副原器を収めた小屋の木造の屋根が燃えているのを三人掛かりで消していたが耐火構造の室内は大丈夫と思われた。それにしても屋上にこんな燃草をわざわざ載せたのは愚かな設計であった。物理教室の窓枠の一つに飛火が付いて燃えかけたのを秋山、小沢両理学士が消していた。バケツ一つだけで弥生町《やよいちょう》門外の井戸まで汲《く》みに行ってはぶっかけているのであった。これも捨てておけば建物全体が焼けてしまったであろう。十一時頃帰る途中の電車通りは露宿者で一杯であった。火事で真紅に染まった雲の上には青い月が照らしていた。

九月二日。曇

朝大学へ行って破損の状況を見廻《みまわ》ってから、本郷《ほんごう》通りを湯島《ゆしま》五丁目辺りまで行くと、綺麗に焼き払われた湯島台の起伏した地形が一目に見え上野の森が思いもかけない近くに見えた。兵燹《へいせん》という文字が頭に浮かんだ。また江戸以前のこの辺の景色も想像されるのであった。電線がかたまりこんがらがって道を塞《ふさ》ぎ焼けた電車の骸骨《がいこつ》が立ち往生していた。土蔵もみんな焼け、所々煉瓦塀の残骸《ざんがい》が交じっている。焦げた樹木の梢《こずえ》がそのまま真白に灰をかぶっているのもある。明神《みようじん》前の交番と自働電話だけが奇蹟《きせき》のように焼けずに残っている。松住町《まつずみちよう》まで行くと浅草下谷方面はまだ一面に燃えていて黒煙と焔《ほのお》の海である。煙が暑く咽《むせ》っぽく眼に滲《し》みて進めない。その煙の奥の方から本郷の方へと陸続と避難して来る人々の中には顔も両手も火膨れのしたのを左右二人で肩に凭《もた》らせ引きずるようにして連れて来るのがある。そうかと思うとまた反対に向こうへ行く人々の中には写真機を下げて遠足にでも行くような呑気《のんき》そうな様子の人もあった。浅草の親戚《しんせき》を見舞うことは断念して松住町から御茶《おちや》の水《みず》の方へ上がって行くと、女子高等師範の庭は杏雲堂《きようううんどう》病院の避難所になっていると立札が読まれる。御茶の水橋は中程の両側が少し崩れただけで残っていたが駿河《するが》台《だい》は全部焦土であった。明治大学前に黒焦げの死体がころがっていて一枚の焼けたトタン板が被《かぶ》せてあった。神保町《じんぼうちよう》から一《ひと》ツ橋《ばし》まで来て見ると気象台も大部分は焼けたらしいが官舎が不思議に残っているのが石垣越しに見える。橋に火がついて燃えているので巡査が張番していて人を通さない。自転車が一台飛んで来て制止にかまわず突っ切って渡って行った。堀に沿うて牛《うし》が淵《ふち》まで行って道端で憩うていると前を避難者が引っ切りなしに通る。実に色んな人が通る。五十恰好《かっこう》の女が一人大きな犬を一匹背中におぶって行く、風呂敷《ふろしき》包み一つ持っていない。浴衣《ゆかた》が泥水でも浴びたかのように黄色く染まっている。多勢の人が見ているのも無関心のようにわき見もしないで急いで行く。若い男で大きな蓮《はす》の葉を頭にかぶって上から手拭《てぬぐい》でしばっているのがある。それからまた氷袋に水を入れたのを頭にぶら下げて歩きながら、時々その水を煽《あお》っているのもある。と、土方風の男が一人縄で何かガラガラ引きずりながら引っぱって来るのを見ると、一枚の焼けトタンの上に二尺角くらいの氷塊をのっけたのを何となく得意げに引きずって行くのであった。そうした行列の中を一台立派な高級自動車が人の流れに堰《せ》かれながらいるのを見ると、その中車の中にはたぶん掛け物でも入っているらしい桐の箱が一杯に積み込まれて、その中にうずまるように一人の男が腰をかけてあたりを見廻していた。

帰宅してみたら焼け出された浅草の親戚のものが十三人避難して来ていた。いずれも何一つ持ち出すひまもなく、昨夜上野公園で露宿していたら巡査が来て〇〇人の放火者が徘徊《はいかい》するから注意しろと云ったそうだ。井戸に毒を入れるとか、爆弾を投げるとかさまざまな浮説が聞こえて来る。こんな場末の町へまでも荒して歩くためには一体何千キロの毒薬、何万キロの爆弾が入るであろうか、そういう目の子勘定だけからでも自分にはその説は信ぜられなかった。

夕方に駒込《こまごめ》の通りへ出て見ると、避難者の群れが陸続と滝野川《たきのがわ》の方へ流れて行く。表通りの店屋などでも荷物を纏《まと》めて立ち退き用意をしている。帰ってみると、近所でも家を引き払ったのがあるという。上野方面の火事がこの辺まで焼けて来ようとは思われなかったが万一の場合の避難の心構えだけはした。さて避難しようとして考えてみると、どうしても持ち出さなければならないような物はほとんど無かった。ただ自分の描き集めた若干の油絵だけがちょっと惜しいような気がしたのと、人から預かっていたローマ字書きの書物の原稿に責任を感じたくらいである。妻が三毛猫だけ連れてもう一匹の玉の方は置いて行こうと云ったら、子供等がどうしても連れて行くと云ってバスケットかなんかを用意していた。

九月三日。(月曜) 曇後雨

朝九時頃から長男を板橋へやり、三代吉を頼んで白米、野菜、塩などを送らせるようにする。自分は大学へ出かけた。追分《おいわけ》の通りの片側を田舎へ避難する人が引っ切りなしに通った。反対の側はまだ避難していた人が帰って来るのや、田舎から入り込んで来るのが反対の流れをなしている。呑気そうな顔をしている人もあるが見ただけでずいぶん悲惨な感じのする人もある。負傷した片足を引きずり引きずり杖《つえ》にすがって行く若者の顔には何処へ行くというあてもないらしい絶望の色があった。夫婦して小さな車のようなものに病人らしい老母を載せて引いて行く、病人が塵埃《じんあい》で真黒になった顔を俯《あおむ》向けている。

帰りに追分辺りでミルクの缶やせんべいビスケットなど買った。焼けた区域に接近した方面のあらゆる食料品屋の店先はからっぽになっていた。そうした食料品の欠乏が漸次に波及して行く様が歴然とわかった。帰ってから用心に鰹節《かつおぶし》、梅干、缶詰、片栗粉などを近所へ買いにやる。何だか悪い事をするような気がするが、二十余人の口を託されているのだからやむを得ないと思った。午後四時にはもう三代吉の父親の辰五郎が白米、薩摩《さつま》芋《いも》、大根、茄子《なす》、醤油《しょうゆ》、砂糖など車に積んで持って来たので少し安心する事が出来た。しかしまたこの場合に、台所から一車もの食料品を持ち込むのはかなり気の引けることであった。

E君に青山の小宮（十）君の留守宅の様子を見に行ってもらった。帰っての話によると、地震の時長男が二階に居たら書棚が倒れて出口をふさいだので心配した、それだけで別に異状はなかったそうである、その後は邸前のところに避難していたそうである。

夜警で一緒になった人で地震当時前橋に行っていた人の話によると、一日の夜の東京の火事はちょうど火柱のように見えたので大島の噴火でないかという噂があったそうである。

（昭和十年十月）

颱風雑俎

昭和九年九月十三日頃南洋パラオの南東海上に颱風《たいふう》の卵子らしいものが現われた。それがだいたい北西の針路を取ってざっと一昼夜に百里程度の速度で進んでいた。十九日の晩ちょうど台湾の東方に達したころから針路を東北に転じて二十日の朝ころから琉球《りゆうきゆう》列島にほぼ平行して進み出した。それと同時に進行速度がだんだんに大きくなり中心の深度が増して来た。二十一日の早朝に中心が室戸岬《むろとみさき》附近に上陸するころには颱風として可能な発達の極度に近いと思わるる深度に達して室戸岬測候所の観測簿に六八四・〇ミリという今まで知られた最低の海面気圧の記録を残した。それからこの颱風の中心は土佐の東端沿岸の山づたいに徳島の方へ越えた後に大阪湾をその楕《だ》円《えん》の長軸に沿うて縦断して大阪附近に上陸しそこに用意されていた数々の脆弱《ぜいじやく》な人工物を薙《な》ぎ倒した上でさらに京都の附近を見舞って暴れ廻《まわ》りながら琵琶《びわ》湖《こ》上に出た。そのころからそろそろ中心が分裂しはじめ正午ころには新潟附近で三つくらいの中心に分かれてしまって次第に勢力が衰えて行ったのであった。

この颱風は日本で気象観測始まって以来、器械で数量的に観測されたものの中ではもっとも顕著なものであったのみならず、それがたまたま日本の文化的施設の集中地域を通過して、云わば颱風としてのもっとも能率の好《よ》い破壊作業を遂行した。それからもう一つには、この年に相踵《あいつ》いで起こった色々の災害レビューの終幕における花形として出現したために、その「災害価値」がいっそう高められたようである。そのおかげで、それまではこの世における颱風の存在などは忘れていたらしく見える政治界経済界の有力な方々が急に颱風並びにそれに聯関《れんかん》した現象による災害の防止法を科学的に研究しなければならないということを主唱するようになり、結局実際にそういう研究機関が設立されることになったという噂である。誠に喜ぶべきことである。

このような颱風が昭和九年に至って突然に日本に出現したかというとそうではないようである。昔は気象観測というものがなかったから遺憾ながら数量的の比較は出来ないが、しかし古来の記録に残った暴風で今度のに匹敵するものを求めれば、おそらくいくつでも見つかりそうな気がするのである。古い一例を挙げれば清和《せいわ》天皇の御代《みよ》貞観《じょうがん》十六年八月二十四日に京師(十一)を襲った大風雨では「樹木有名皆吹倒、内外官舎、人民居廬、罕有全者、京邑衆水、暴長七八尺、水流迅激、直衝城下、大小橋梁、無有孑遺、云々」とあって水害もひどかったが風も相当強かったらしい。この災害のあとで「班幣畿内諸神、祈止風雨」あるいは「向柏原山陵、中謝風水之灾」と云ったようなその時代としては適当な防止策が行われ、またもっともはなはだしく風水害を被った三千百五十九家のために「開倉廩賑給之」という応急善後策も施されている。比較的新しい方の例で自分の体験の記憶に残っているのは明治三十二年(十二)八月二十八日高知市を襲ったもので、学校病院劇場が多数倒壊し、市の東端吸江《ぎゅうこう》に架した長橋青柳橋《あおやぎばし》が風の力で横倒しになり、旧城天守閣の頂上の片方の鯱《しゃちほこ》が吹き飛んでしまった。この新旧二つの例はいずれも颱風として今度のいわゆる室戸颱風に比べてそれほどひどくひけをとるものとは思われないようである。明治から貞観まで約千年の間にこの程度の颱風がおよそ何回くらい日本の中央部近くを襲ったかと思って考えてみると、仮に五十年に一回として二十回、二十年に一回として五十回となる勘定である。

風の強さの程度は不明であるが海嘯《かいしょう》を伴った暴風として記録に残っているものでは、貞観よりも古い天武《てんむ》天皇時代から宝暦《ほうれき》四年までに十余例が挙げられている。

千年の間に二十回とか三十回といえばやはり稀有《けう》という形容詞を使っても不穏当とは云えないし、目前にのみ気を使っている政治家や実業家たちが忘れていても不思議はないかもしれない。

　こうした極端な程度から少し下がった中等程度の颱風となると、その頻度は目立って増して来る。やっと颱風と名のつく程度のものまでも入れれば中部日本を通るものだけでも年に一つや二つくらいはいつでも数えられるであろう。遺憾ながらまだ颱風の深度対頻度の統計が十分に出来ていないようであるが、そうした統計はやはり災害対策の基礎資料として是非とも必要なものであろうと思われる。

　颱風災害防止研究機関の設立は喜ぶべき事であるが、もしも設立者の要求に科学的な理解が伴っていないとすると研究を引き受ける方の学者たちは後日大変な迷惑をすることになりはしないかという取越苦労を感じないわけには行かないようである。設立者としての政治家、出資者としての財団や実業家たちが、二、三年か四、五年も研究すれば颱風の予知が完全に的確に出来るようになるものと思い込んでいるようなことがないとは云われないような気がするからである。

　颱風に関する気象学者の研究はある意味では今日でもかなり進歩している。なかんずく本邦学者の多年の熱心な研究のおかげで颱風の構造に関する知識、たとえば颱風圏内における気圧気温風速降雨等の空間的時間的分布等についてはなかなか詳しく調べ上げられているのであるが、肝心の颱風の成因についてはまだ何らの定説がないくらいであるから、出来上がった颱風が二十四時間後に強くなるか弱くなるか、進路をどの方向にどれだけ転ずるかというような一番大事な事項を決定する決定因子がどれだけあってそれが何と何であるかというような問題になると未だほとんど目鼻も附かないような状況にある。

南洋に発現してから徐々に北西に進み台湾の東から次第に北東に転向して土佐沖に向かって進んで来そうに見えるという点までは今度の颱風とほとんど同じような履歴書を持って来るのがいくらもある。しかしそれがふいと見当をちがえて転向してみたり、また不明な原因で勢力が衰えてしまって軽い嵐くらいですんでしまうことがしばしばあるのである。

転向の原因、勢力消長の決定因子が徹底的に分からない限り、一時間後の予報は出来ても一昼夜後の情勢を的確に予報することは実は甚だ困難な状況にあるのである。

これらの根本的決定因子を知るにはいったい何処を捜せばよいかというと、それはおそらく颱風の全勢力を供給する大源泉と思われる北太平洋ならびにアジア大陸の大気活動中心における気流大循環系統のかなり明確な知識と、その主要循環系の周囲に随伴する多数の副低気圧が相互に及ぼす勢力交換作用の知識との中に求むべきもののように思われる。それらの知識を確実に把握するためには支那満州シベリアはもちろんのこと、北太平洋全面からオホーツク海に亘《わた》る海面にかけて広く多数に分布された観測点における海面から高層までの気象観測を系統的定時的に少なくも数十年継続することが望ましいのであるが、これは現時においては到底期待し難い大事業である。ただ、さし当たっての方法としては南洋支那満州における観測ならびに通信機関の充実を計って、それによって得られる材料を基礎として応急的の研究を進めるほかはないであろう。

自分の少しばかり調べてみた結果では、昨年の颱風の場合には、同時に満州の方から現われた二つの副低気圧と南方から進んで来た主要颱風との相互作用がこの颱風の勢力増大に参与したように見えるのであるが、不幸にして満州方面の観測点が僅少《きんしょう》であるためにそれらの関係を明らかにすることが出来ないのは遺憾である。

ともかくもこのような事情であるから颱風《たいふう》の災害防止の基礎となるべき颱風の本性

に関する研究はなかなか生やさしいことではないのである。目前の災禍に驚いて急いで研究機関を設置しただけでは遂げられると保証の出来ない仕事である。ただ冷静で気永く粘り強い学者のために将来役に立つような資料を永続的系統的に供給することの出来るような、しかも政治界や経済界の動乱とは無関係に観測研究を永続させうるような機関を設置することが大切であろう。

颱風が日本の国土に及ぼす影響は単に物質的なものばかりではないであろう。日本の国の歴史に、また日本国民の国民性にこの特異な自然現象が及ぼした効果は普通に考えられているよりも深刻なものがありはしないかと思われる。

弘安四年に日本に襲来した蒙古《もうこ》の軍船が折からの颱風のために覆没してそのために国難を免れたのはあまりに有名な話である。日本武尊《やまとたけるのみこと》東征の途中の遭難とか、義経《よしつね》の大物浦《だいもつのうら》の物語とかははたして颱風であったかどうか分からないから別として、日本書紀時代における遣唐使がしばしば颱風のために苦しめられたのは事実であるらしい。斉明《さいめい》天皇の御代《みよ》に二艘《そう》の船に分乗して出掛けた一行が暴風に遭って一艘は南海の島に漂着して島人にひどい目に遭わされたとあり、もう一艘もまた大風のために見当ちがいの地点に吹きよせられたりしている。これは立派な颱風であったらしい。また仁明《にんみよう》天皇の御代に僧真済が唐に渡る航海中に船が難破しやっと筏《いかだ》に駕《が》して漂流二十三日、同乗者三十余人ことごとく餓死し真済と弟子の真然《しんぜん》とたった二人だけ助かったという記事がある。これも颱風らしい。こうした実例から見ても分かるように遣唐使の往復は全く命がけの仕事であった。

このように、颱風は大陸と日本との間隔を引きはなし、この帝国をわだつみの彼方《かなた》の安全地帯に保存するような役目をつとめていたように見える。しかし、逆説的に聞こえるかもしれないが、その同じ颱風はまた思いもかけない遠い国土と日本とを結びつける役目をつとめたかもしれない、というのは、この颱風のおかげで南洋方面や日本海の対岸あたりから意外な珍客が珍奇な文化を齎《もたら》して漂着したことがしばしばあったらしいということが歴史の記録から想像されるからである。ことによると日本の歴史以前の諸先住民族の中にはそうした漂流者の群れが存外多かったかもしれないのである。

故意に、また漂流の結果自由意志に反してこの国土に入り込んで住みついた我々の祖先は、年々に見舞って来る颱風の体験知識を大切な遺産として子々孫々に伝え、子孫はさらにこの遺産を増殖し蓄積した。そうしてそれらの世襲知識を整理し帰納し演《えん》繹《えき》してこの国土にもっとも適した防災方法を案出しさらにまたそれに改良を加えてもっとも完全なる耐風建築、耐風村落、耐風市街を建設していたのである。そのように少なくも二千年かかって研究しつくされた結果に準拠して作られた造営物は昨年のような稀有の颶風の試《し》煉《れん》にも堪えることが出来たようである。

大阪の天王寺《てんのうじ》の五重塔が倒れたのであるがあれは文化文政《ぶんかぶんせい》頃の廃頽《はいたい》期に造られたものので正当な建築法に拠《よ》らない、肝心な箇所に誤魔化しのあるものであったと云われている。

十月初めに信州へ旅行して颶風の余波を受けた各地の損害程度を汽車の窓から眺めて通ったとき、色々気のついたことがある、それがいずれも祖先から伝わった耐風策の有効さを物語るものであった。

畑中にある民家でぼろぼろに腐朽しているらしく見えていながら存外無事なのがある。そういう家はたいてい周囲に植木が植え込んであって、それが有力な障壁の役をしたものらしい。これに反して新道沿いに新しく出来た当世風の二階家などで大損害を受けているらしいのがいくつも見られた。松本附近である神社の周囲を取りかこんでいるはずの樹木の南側だけが欠けている。そうしてたぶんそのためであろう、神殿の屋根がだいぶ風にいたんでいるように見受けられた。南側の樹木が今度の風で倒れたのではなくて以前に何かの理由で取り払われたものらしく見受けられた。

諏訪湖畔《すわこはん》でも山麓《さんろく》に並んだ昔からの村落らしい部分は全く無難のように見えるのに、水辺に近い近代的造営物にはずいぶんひどく損じているのがあった。

可笑《おか》しいことには、古来の屋根の一型式にしたがってこけら葺《ぶ》きの上に石ころを並べたのは案外平気でいるそのすぐ隣に、当世風のトタン葺きや、油布張りの屋根がべろべろに剝《は》がれて醜骸《しゅうがい》を曝《さら》しているのであった。

甲州路へかけても到るところの古い村落はほとんど無難であるのに、停車場の出来たために発達した新集落には相当な被害が見られた。古い村落は永い間の自然淘汰《しぜんとうた》によって、颱風の害の最小なような地の利のある地域に定着しているのに、新集落は、そうした非常時に対する考慮を抜きにして発達したものだとすれば、これはむしろ当然すぎるほど当然なことであると云わなければならない。

昔は「地を相する」という術があったが明治大正の間にこの術が見失われてしまっ

たようである。颱風もなければ烈震もない西欧の文明を継承することによって、同時に颱風も地震も消失するかのような錯覚に捕らわれたのではないかと思われるくらいに綺麗《きれい》に颱風と地震に対する「相地術」を忘れてしまったのである。

ドイツの町を歩いていたとき、空洞煉瓦《れんが》一枚張りの壁で囲まれた大きな家が建てられているのを見て、こんな家が日本にあったらどうだろうと云って友人らと話したことがあった。ナウエンの無線電信塔の鉄骨構造の下端が硝子《ガラス》のボール・ソケット・ジョイントになっているのを見たときにも胆《きも》を冷やしたことであった。しかし日本では濃尾《のうび》震災の刺戟《しげき》によって設立された震災予防調査会における諸学者の熱心な研究によって、日本に相当した耐震建築法が設定され、それが関東震災の体験によってさらにいっそうの進歩を遂げた。その結果として得られた規準にしたがって作られた家は耐震的であると同時にまた耐風的であるということは、今度の大阪における木造小学校建築物被害の調査からも実証された。すなわち、昭和四年三月以後に建てられた小学校は皆この規準にしたがって建てられたものであるが、それらのうちで倒潰《とうかい》はおろか傾斜したものさえ一校もなかった。これに反して、この規準に拠らなかった大正十年ないし昭和二年の建築にかかるものは約十パーセントの倒潰率を示しており、もっと古い大正九年以前のものは二十四パーセントの倒潰率を示している。もっともこの最後のものは古くなったためもいくらかあるのである。鉄筋構造のものはもちろん無事であった。

このように建築法は進んでも、それでもまだ地を相することの必要はけっして消滅しないであろう。去年の秋の所見によると塩尻《しおじり》から辰野《たつの》へ越える渓谷の両側のところどころに樹木が算を乱して倒れあるいは折れ摧《くだ》けていた。これは伊那《いな》盆地から松本《まつもと》平《だいら》へ吹き抜ける風の流線がこの谷に集約されしたがって異常な高速度を生じたためと思われた。こんな谷の斜面の突端にでも建てたのでは規準様式の建築でもまったく無難であるかどうか疑わしいと思われた。

地震による山崩れはもちろん、颱風の豪雨で誘発される山津浪《つなみ》についても慎重に地を相する必要がある。海嘯《かいしょう》についてはなおさらである。大阪では安政の地震津浪で洗われた区域に構わず新市街を建てて、昭和九年の暴風による海嘯の洗礼を受けた。東京では先頃深川《ふかがわ》の埋立て区域に府庁を建設するという案を立てたようであるが、あの地帯は著しい颱風の際には海嘯に襲われやすいところで、その上に年々に著しい土地の沈降を示している区域である。それにかかわらずそういう計画をたてるというのは現代の為政の要路にある人たちが地を相することを完全に忘れている証拠である。地を相するというのは畢竟《ひっきょう》自然の威力を畏《おそ》れ、その命令に逆らわないようにするための用意である。(十三)安倍《あべ》能成《よししげ》君が西洋人と日本人とで自然に対する態度に根本的の差違があるという事を論じていた中に、西洋人は自然を人間の自由にしようとするが日本人は自然に帰し自然に従おうとするという意味のことを話していたと記憶するが、このような区別を生じた原因の中には颱風や地震のようなものの存否がかなり重大な因子をなしているかもしれないのである。

颱風の災害を軽減するにはこれに関する国民一般の知識の程度を高めることが必要であると思われるが、現在のところではこの知識の平均水準はきわめて低いようである。たとえば低気圧という言葉の意味すらよく呑《の》み込めていない人が立派な教養を受けたはずのいわゆる知識階級にも存外に多いのに驚かされることがある。颱風中心の進行速度と、風の速度とを間違えて平気でいる人もなかなか多いようである。これは人々の心がけによることであるが、しかしだいたいにおいて学校の普通教育ないし中等教育の方法に重大な欠陥があるためであろうと想像される。これに限ったことではないが、いわゆる理科教育が妙な型にはいって分かりやすいことをわざわざ分かりにくく、面白いことをわざわざ鹿爪らしく教えているのではないかという気がする。子供に固有な鋭い直観の力を利用しないで頭の悪い大人に適合するような教案ばかりを練り過ぎるのではないかと思われる節もある。これについては教育者の深い反省を促したいと思っている次第である。

ついでながら、昨年の室戸颱風《たいふう》が上陸する前に室戸岬沖の空に不思議な光りものが見えたということが報ぜられている。色々聞き合わせてみてもその現象の記載がどうも要領を得ないのであるが、ともかくも電光などのような瞬間的の光ではなくてかなり長く持続する光が空中の広い区域に現われたことだけは事実であるらしい。こういう現象は普通の気象学の書物などには書いてないことで、はたして颱風と直接関係があるかないかも不明であるが、しかし土佐の漁夫の間には昔からそういう現象が知られていて「とうじ」という名前までついているそうである。これが現われると大変なことになると伝えられているそうである。昨年の颱風の上陸したのは早朝であったのでその前にも空はいくらかもう明るかったであろうから、ことによるといわゆる颱風眼の上層に雲のない区域が出来て、そこから空の曙光《しょこう》が洩《も》れて下層の雨の柱でも照らしたのではないかという想像もされなくはないが、何分にも確実な観察の資料がないから何らのもっともらしい推定さえ下すことも出来ない。

　これに聯関《れんかん》して、やはり土佐で古老から聞いたことであるが、暴風の風力がもっとも劇烈な場合には空中を光り物が飛行する、それを「ひだつ（火竜？）」と名づけるという話であった。これも何かの錯覚であるかどうか信用の出来る資料がないから不明である。しかし自分の経験によると、暴風の夜にかすかな空明りに照らされた木立ちを見ていると烈風のかたまりが吹きつける瞬間に樹の葉がことごとく裏返って白っぽく見えるので、その辺が一体に明るくなるような気のすることがある。そんな現象があるいは光り物と誤認されることがないとも限らない。もっとも『土佐古今の地震』という書物に、(十四)著者寺石正路《てらいしまさみち》氏が明治三十二年の颶風の際に見た光り物の記載には「火事場の火粉の如きもの無数空気中を飛行するを見受けたりき」とあるからこれはまた別の現象かもしれない。

　非常な暴風のために空気中に物理的な発光現象が起こるということは全然あり得ないと断定することも今のところ困難である。そういう可能性もまったく考えられなくはないからである。しかし何よりもまず事実の方から確かめてかかる事が肝心であるから、万一読者の中でそういう現象を目撃した方があったらその観察についての示教を願いたいと思う次第である。

事実を確かめないで学者が机上の議論を戦わして大笑いになる例はヂッケンスのピクウィック・ペーパーにもあったと思うが、現実の科学者の世界にもしばしばある。たとえばこんな笑い話があった。ある学会で懸賞問題を出して答案を募ったが、その問題は「コップに水を一杯入れておいてさらに徐々に砂糖を入れても水が溢《あふ》れないのは何故か」というのであった。応募答案の中には実に深遠を極めた学説のさまざまが展開されていた。しかし当選した正解者の答案は極めて簡単明瞭《めいりょう》で「水はこぼれますよ」というのであった。

颱風のような複雑な現象の研究にはなおさら事実の観測が基礎にならなければならない。それには颱風の事実を捕える観測網をできるだけ広く密に張り渡すのが第一着の仕事である。

軍艦飛行機を造るのが国防であると同じようにこのような観測網の設置も日本にとってはやはり国防の第一義であるかと思われるのである。

（昭和十年二月、思想）

災難雑考

大垣《おおがき》の女学校の生徒が修学旅行で箱根《はこね》へ来て一泊した翌朝、出発の間際に監督の先生が記念の写真をとるというので、大勢の生徒が渓流に架《つ》した吊り橋の上に並んだ。すると、吊り橋がぐらぐら揺れ出したのに驚いて生徒が騒ぎ立てたので、振動がますます劇《はげ》しくなり、そのために吊り橋の鋼索が断たれて、橋は生徒を載せたまま渓流に墜落し、無残にも大勢の死傷者を出したという記事が新聞に出た。これに対する世評も区々《まちまち》で、監督の先生の不注意を責める人もあれば、そういう抵抗力の弱い橋を架けておいた土地の人を非難する人もあるようである。なるほどこういう事故が起こった以上は監督の先生にも土地の人にも全然責任がないとは云われないであろう。しかし、考えてみると、この先生と同じことをして無事に写真をとって帰って、生徒やその父兄たちに喜ばれた先生は何人あるか分からないし、この橋よりもっと弱い橋を架けて、そうしてその橋の堪えうる最大荷重について何の掲示もせずに通行人の自由に放任している町村もよく調べてみたら日本全国におよそどのくらいあるのか見当がつかない。それで今度のような事件はむしろあるいは落雷の災害などと比較されてもいいようなきわめて稀有《けう》な偶然のなす業で、たまたまこの気まぐれな偶然の悪戯《いたずら》の犠牲になった生徒たちの不幸はもちろんであるが、その責任を負わされる先生も土地の人も誠に珍しい災難に逢《あ》ったのだと云うふうに考えられないこともないわけである。

こういう災難に逢った人を、第三者の立場から見て事後に咎《とが》め立てするほどやさしいことはないが、それならば咎める人がはたして自分でそういう種類の災難に逢わないだけの用意が完全に周到にできているかというと、必ずしもそうではないのである。

早い話が、平生地震の研究に関係している人間の眼から見ると、日本の国土全体が一つの吊り橋の上にかかっているようなもので、しかも、その吊り橋の鋼索が明日にも断たれるかもしれないというかなりな可能性を前に控えているような気がしないわけには行かない。来年にもあるいは明日にも、宝永《ほうえい》四年または安政元年のような大規模な広区域地震が突発すれば、箱根の吊り橋の墜落とは少しばかり桁数《けたすう》のちがった損害を国民国家全体が背負わされなければならないわけである。

吊り橋の場合と地震の場合とはもちろん話がちがう。吊り橋は大勢でのっからなければ落ちないであろうし、また断えず補強工事を怠らなければ安全であろうが、地震のほうは人間の注意不注意には無関係に、起こるものなら起こるであろう。

しかし、「地震の現象」と「地震による災害」とは区別して考えなければならない。現象のほうは人間の力でどうにもならなくても「災害」のほうは注意次第でどんなにでも軽減されうる可能性があるのである。そういう見地から見ると大地震が来たら潰《つぶ》れるにきまっているような学校や工場の屋根の下に大勢の人の子を集団させている当事者は云わば前述の箱根吊り橋墜落事件の責任者と親類どうしになって来るのである。ちょっと考えるとある地方で大地震が数年以内に起こるであろうという確率と、ある吊り橋にたとえば五十人乗ったためにそれがその場で落ちるという確率とは桁違いのように思われるかもしれないが、必ずしもそう簡単には云われないのである。

最近の例としては（十五）台湾の地震がある。台湾は昔から相当烈震の多い土地で二十世紀になってからでもすでに十回ほどは死傷者を出す程度のが起こっている。平均で云えば三年半に一回の割である。それが五年も休止状態にあったのであるから、そろそろまた一つぐらいはかなりなのが台湾中の何処かに襲って来てもたいした不思議はないのであって、そのくらいの予言ならば何も学者を待たずともできたわけである。しかし今度襲われる地方がどの地方でそれが何月何日ごろに当たるであろうということを的確に予知することは今の地震学では到底不可能であるので、そのおかげで台湾島民は烈震が来れば必ず潰れて、潰れれば圧死する確率のきわめて大きいような泥土の家に安住していたわけである。それでこの際そういう家屋の存在を認容していた総督府当事者の責任を問うて、咎め立てることも出来ないことはないかもしれないが、当事者の側から云わせるとまた色々無理のない事情があって、この危険な土角造りの民家を全廃することはそう容易ではないらしい。何よりも困難なことには、内地のような木造家屋は地震には比較的安全だが台湾ではすぐに名物の白蟻に食べられてしまうので、その心配がなくて、しかも熱風防御に最適でその上に金のかからぬといういわゆる土角造りが、生活程度のきわめて低い土民に重宝がられるのは自然の勢いである。もっとも阿里山《ありさん》の紅檜《べにひ》を使えば比較的あまりひどくは白蟻に喰《く》われないことが近ごろ判って来たが、あいにくこの事実が分かったころには同時にこの肝心の材料がおおかた伐《き》り尽くされてなくなった事が分かったそうである。政府で歳入の帳尻を合わせるために無茶苦茶にこの材木の使用を宣伝し奨励して棺桶《かんおけ》などにまでこの良材を使わせたせいだという噂もある。これはゴシップではあろうがとかく明日の事は構わぬがちの現代為政者のしそうなことと思われておかしさに涙がこぼれる。それはとにかく、さし当たってそういう土民に鉄筋コンクリートの家を建ててやるわけにも行かないとすれば、何とかして現在の土角造りの長所を保存して、その短所を補うようなしかも費用のあまりかからぬ簡便な建築法を研究してやるのが急務ではないかと思われる。それを研究するにはまず土角造りの家が如何《いか》なる順序で如何に毀《こわ》れたかを精《くわ》しく調べなければならないであろう。もっとも自分などが云うまでもなく当局者や各方面の専門学者によってそうした研究がすでに着々合理的に行われていることであろうと思われるが、同じようなことは箱根の吊り橋についても云われる。誰の責任であるとか、ないとかいう後の祭りの咎め立てを開き直って仔細《しさい》らしくするよりももっともっと大事なことは、今後如何にしてそういう災難を少なくするかを慎重に攻究することであろうと思われる。それには問題の吊り橋のどの鋼索のどの辺が第一に断れて、それから、どういう順序で他の部分が破壊したかという事故の物的経過を災害の現場について詳しく調べ、その結果を参考して次の設計の改善に資するのが何よりもいちばん大切なことではないかと思われるのである。しかし多くの場合に、責任者に対する咎め立て、それに対する責任者の一応の弁解、ないしは引責というだけでその問題が完全に落着したような気がして、いちばん大切な物的調査による後難の軽減という眼目が忘れられるのが通例のようである。これではまるで責任というものの概念が何処かへ迷児になってしまうようである。甚だしい場合になると、なるべくいわゆる「責任者」を出さないように、つまり誰にも咎《とが》を負わさせないように、実際の事故の原因をおしかくしたり、あるいは見て見ぬふりをして、何かしらもっともらしい不可抗力に因ったかのように附会してしまって、そうしてその問題を打ち切りにしてしまうようなことが、吊り橋事件などよりもっと重大な事件に関して行われた実例が諸方面にありはしないかという気がする。そうすればそのさし当たりの問題はそれで形式的には収まりがつくが、それでは、まったく同じような災難があとからあとから幾度でも繰り返して起こるのが当たり前であろう。そういう弊の起こる原因はつまり責任の問い方が見当をちがえているためではないかと思う。人間に免れぬ過失自身を責める代わりに、その過失を正当に償わないことを咎めるようであれば、こんな弊の起こる心配はないはずであろうと思われるのである。

たとえばある工学者がある構造物を設計したのがその設計に若干の欠陥があってそ

れが倒潰《とうかい》し、そのために人が大勢死傷したとする。そうした場合に、その設計者が引責辞職してしまうかないし切腹して死んでしまえば、それで責めを塞《ふさ》いだというのはどうも嘘ではないかと思われる。その設計の詳細をいちばんよく知っているはずの設計者自身が主任になって倒潰の原因と経過とを徹底的に調べ上げて、そうしてその失敗を踏み台にして徹底的に安全なものを造り上げるのが、むしろほんとうに責めを負うゆえんではないかという気がするのである。

ツェッペリン飛行船などでも、最初から何度となく苦い失敗を重ねたにかかわらず、当の責任者のツェッペリン伯(十六)はけっして切腹もしなければ隠居もしなかった。そのおかげでとうとういわゆるツェッペリンが物になったのである。もしも彼が仮に我が日本政府の官吏であったと仮定したら、はたしてどうであったかを考えてみることを、賢明なる本誌読者の銷閑パズルの題材としてここに提出したいと思う次第である。

これに関聯《かんれん》したことで自分が近年で実に胸のすくほど愉快に思ったことが一つある。それは、日本航空輸送会社の旅客飛行機白鳩号というのが九州の上空で悪天候のために針路を失して山中に迷い込み、どうしたわけか、機体が空中で分解してばらばらになって林中に墜落した事件について、その事故を徹底的に調査する委員会が出来て、大勢の学者が集まってあらゆる方面から詳細な研究を遂行し、その結果として、この誰一人目撃者の存しない空中事故の始終の経過が実によく手にとるようにありありと推測されるようになって来て、事故の第一原因がほとんど的確に突き留められるようになり、したがって将来、同様の原因から再び同様な事故を起こすことのないような端的な改良を凡《すべ》ての機体に加えることが出来るようになったことである。

この原因を突きとめるまでに主としてY教授によって行われた研究の経路は、下手な探偵小説などの話の筋道よりは実に遥かに面白いものであった。乗組員は全部墜死してしまい、しかも事故の起こったよりずっと前から機上よりの無線電信も途絶えていたから、墜落前の状況についてはまったく誰一人知った人はない。しかし、幸いなことには墜落現場における機体の破片の散乱した位置が詳しく忠実に記録されていて、その上にまたそれら破片の現品がたんねんに当時のままの姿で収集され、そのまま手つかずに保存されていたので、Y教授はそれを全部取り寄せてまずそのばらばらの骨片から機の骸骨《がいこつ》をすっかり組み立てるという仕事にかかった、そうしてその機材の折れ目割れ目を一つ一つ番号をつけては虱潰《しらみつぶ》しに調べて行って、それらの損所の機体における分布の状況やまた折れ方の種類の色々な型を調べ上げた。折れた機材どうしが空中でぶつかったときに出来たらしい疵痕《きずあと》も一々たんねんに検査して、どの折片がどういう向きに衝突したであろうかということを確かめるために、そうした引っ掻《か》き疵の蠟形《ろうがた》を取ったのとそれらしい相手の折片の表面にある鋲《びょう》の頭の断面と合わしてみたり、また鋲の頭にかすかについているペンキを虫眼鏡で吟味したり、ここいらはすっかりシャーロック・ホールムスの行き方であるが、ただ科学者のY教授が小説に出て来る探偵とちがうのは、このようにして現品調査で見当をつけた考えをあとから一々実験で確かめて行ったことである。それには機材とほぼ同様な形をした試片を色々に押し曲げてへし折ってみて、その折れ口の様子を見てはそれを現品のそれと較べたりした。その結果として、空中分解の第一歩が何処の折損から始まり、それからどういう順序で破壊が進行し、同時に機体が空中でどんな形に変形しつつ、どんなふうに旋転しつつ墜落して行ったかということのだいたいの推測がつくようになった。しかしそれでは肝心の事故の第一原因は分からないので色々調べているうちに、片方の補助翼を操縦する鋼索の張力を加減するためにつけてあるタンバックルと称するネジがある、それが戻るのを防ぐために通してある銅線が一箇所切れてネジが抜けていることを発見した。それから考えると何らかの原因でこの留めの銅線が切れてタンバックルが抜けたために補助翼がぶらぶらになったことが事故の第一歩と思われた。そこで今度は飛行機翼の模型を作って風洞で風を送って試験してみたところがある風速以上になると、補助翼をぶらぶらにした機翼はひどい羽搏《はばた》き振動を起こして、そのために支柱がくの字形に曲げられることがわかった。ところが、前述の現品調査の結果でもまさしくこの支柱が最初に折れたとすると全てのことが符合するのである。こうなって来るともうだいたいの経過の見通しがついたわけであるが、ただ大切なタンバックルの留め針がどうして切れたか、またちょっと考えただけでは抜けそうもないネジがどうして抜け出したかが分からない。そこで今度は現品と同じ鋼索とタンバックルの組み合わせを色々な条件のもとに週期的に引っぱったり緩めたりして試験した結果、実際に想像通りに破壊の過程が進行することを確かめることが出来たのであった。要するにたった一本の銅線に生命がつながっていたのに、それを誰も知らずに安心していた。そういう実に大事なことがこれだけの苦心の研究でやっと分かったのである。さて、これが分かった以上、この命の綱を少しばかり強くすれば、今後は少なくもこの同じ原因から起こる事故だけはもう絶対になくなるわけである。

この点でも科学者の仕事と探偵の仕事とは少しちがうようである。探偵は罪人を見つけ出しても将来の同じ犯罪をなくすることは六《むつ》かしそうである。

しかし、飛行機を墜落させる原因になる「罪人」は数々あるので、科学的探偵の目こぼしになっているのがまだどれほどあるか見当はつかない。それがたくさんあるらしいと思わせるのは時によると実に頻繁に新聞で報ぜられる飛行機墜落事故の継起である。もっとも非常時の陸海軍では民間飛行の場合などとちがって軍機の制約から来る色々な止み難い事情のために事故の確率が多くなるのは当然かもしれないが、いずれにしても成ろうことなら凡ての事故の徹底的調査をして真相を明らかにし、そうして後難を無くするという事は新しい飛行機の数を増すと同様にきわめて必要なことであろうと思われる。これはまた飛行機に限らずあらゆる国防の機関についても同様に云われることである。もちろん当局でもその辺に遺漏のあるはずはないが、しかし一般世間ではどうかすると誤った責任観念から色々の災難事故の真因が抹殺され、そのおかげで表面上の責任者は出ない代わりに、同じ原因による事故の犠牲者が跡を絶たないということが珍しくないようで、これは困ったことだと思われる。これでは犠牲者は全く浮かばれない。伝染病患者を内証にしておけば患者が殖える、あれと似たようなものであろう。

こうは云うもののまたよくよく考えて見ていると災難の原因を徹底的に調べてその真相を明らかにして、それを一般に知らせさえすれば、それでその災難はこの世に跡を絶つというような考えは、本当の世の中を知らない人間の机上の空想に過ぎないではないかという疑いも起こって来るのである。

早い話がむやみに人殺しをすれば後には自分も大概は間違いなく処刑されるということはずいぶん昔からよく誰にも知られているにかかわらず、何時になっても、自分では死にたくない人で人殺しをするものの種が尽きない。若い時分に大酒をのんで無茶な不養生をすれば頭やからだを痛めて年取ってから難儀することは明白でも、そうして自分に蒔《ま》いた種の収穫時に後悔しない人は稀《まれ》である。

大津浪《つなみ》が来ると一と息に洗い去られて生命財産ともに泥水の底に埋められるにきまっている場所でも繁華な市街が発達して何十万人の集団が利権の争闘に夢中になる。何時来るかも分からない津浪の心配よりも明日の米櫃《こめびつ》の心配のほうがより現実的であるからであろう。生きているうちに一度でも金を儲《もう》けて三日でも栄華の夢を見さえすれば津浪に攫《さら》われても遺憾はないという、そういう人生観を抱いた人たちがそういう市街を造って集落するのかもしれない。それを止めだてするというのがいいかどうか、いいとしてもそれが実行可能かどうか、それは、なかなか容易ならぬ六かしい問題である。事によると、このような人間の動きを人間の力でとめたり外《そ》らしたりするのは天体の運行を勝手にしようとするよりもいっそう難儀なことであるかもしれないのである。

また一方ではこういう話がある。ある遠い国の炭鉱では鉱山主が爆発防止の設備を怠って充分にしていない。監督官が検査に来ると現に掘っている坑道は塞《ふさ》いで廃坑だということにして見せないで、検査に及第する坑《あな》だけ見せる。それで検閲はパスするが時々爆発が起こるというのである。真偽は知らないが可能な事ではある。

こういうふうに考えて来ると、あらゆる災難は一見不可抗的のようであるが実は人為的のもので、したがって科学の力によって人為的にいくらでも軽減しうるものだという考えをもういっぺんひっくり返して、結局災難は生じやすいのにそれが人為的であるがためにかえって人間というものを支配する不可抗な方則の支配を受けて不可抗なものであるという、奇妙な廻《まわ》りくどい結論に到達しなければならないことになるかもしれない。

理屈はぬきにして古今東西を通ずる歴史という歴史がほとんどあらゆる災難の歴史

であるという事実から見て、今後少なくも二千年や三千年は昔からあらゆる災難を根気よく繰り返すものと見てもたいした間違いはないと思われる。少なくもそれが一つの科学的宿命観でありうるわけである。

もしもこのように災難の普遍性恒久性が事実であり天然の方則であるとすると、吾々《われわれ》は「災難の進化論的意義」と云ったような問題に行き当たらないわけには行かなくなる。平たく云えば、吾々人間はこうした災難に養いはぐくまれて育って来たものであって、ちょうど野菜や鳥獣魚肉を食って育って来たと同じように災難を食って生き残って来た種族であって、野菜や肉類が無くなれば死滅しなければならないように、災難が無くなったらたちまち「災難饑《き》餓《が》」のために死滅すべき運命におかれているのではないかという変わった心配も起こしえられるのではないか。

古い支那人の言葉で「艱難汝《かんなんなんじ》を玉にす」と云ったような言い草があったようであるが、これは進化論以前のものである。植物でも少しいじめないと花実をつけないものが多いし、ぞうり虫パラメキウムなどでもあまり天下泰平だと分裂生殖が終熄《しゅうそく》して死滅するが、汽車にでものせて少しゆさぶってやると復活する。このように、虐待は繁《はん》昌《じょう》のホルモン、災難は生命の醸母であるとすれば、地震も結構、颱風《たいふう》も歓迎、戦争も悪疫も礼讃《らいさん》に値するのかもしれない。

日本の国土などもこの点では相当恵まれているほうかもしれない。うまい工合《ぐあい》に世界的に有名なタイフーンのいつも通る道筋に並行して島弧が長く延長しているので、たいていの颱風はひっかかるような仕掛けに出来ている。また大陸塊の縁辺のちぎれの上に乗っかって前には深い海溝を控えているおかげで、地震や火山の多いことはまず世界中の大概の地方にひけは取らないつもりである。その上に、冬のモンスーンは火事を煽《あお》り、春の不連続線は山火事を焚《た》きつけ、夏の山水美はまさしく雷雨の醸成に適し、秋の野分は稲の花時刈り入れ時を狙って来るようである。日本人を日本人にしたのはじつは学校でも文部省でもなくて、神代から今日まで根気よく続けられて来たこの災難教育であったかもしれない。もしそうだとすれば、科学の力をかりて災難の防止を企て、このせっかくの教育の効果をいくぶんでも減殺しようとするのは考えものであるかもしれないが、幸か不幸か今のところまずその心配はなさそうである。いくら科学者が防止法を発見しても、政府はそのままにそれを採用実行することがけっしてできないように、また一般民衆はいっこうそんな事には頓着《とんちゃく》しないように、ちゃんと世の中が出来ているらしく見えるからである。

植物や動物はたいていい人間よりも年長者で人間時代以前からの教育を忠実に守っているからかえって災難を予想してこれに備える事を心得ているか少なくもみずから求めて災難を招くような事はしないようであるが、人間は先祖のアダムが智慧《ちえ》の樹の実を食ったお蔭《かげ》で数万年来受けて来た教育を馬鹿にすることを覚えたために新しいいくぶんの災難をたくさん背負い込み、目下その新しい災難から初歩の教育を受け始めたような形である。これからの修行が何十世紀かかるかこれは誰にも見当がつかない。

災難は日本ばかりとは限らないようである。お隣のアメリカでも、たまには相当な大地震があり、大山火事があるし、時にまた日本にはあまり無い「熱波」「寒波」の襲来を受けるほかに、かなりしばしば猛烈な大旋風トルナドーに引っ掻《か》き廻される。たとえば一九三四年の統計によると総計百十四回のトルナドーに見舞われ、その損害額三百八十三万三千ドル、死者四十名であったそうである。北米大陸では大山脈が南北に走っているためにこうした特異な現象に富んでいるそうで、この点欧州よりは少なくも一つだけ多くの災害の種に恵まれているわけである。北米の南方では我がタイフーンの代わりにその親類のハリケーンを享有しているからますます心強いわけである。

西北隣のロシアシベリアではあいにく地震も噴火も颱風もないようであるが、その代わりに海を鎖《とざ》す氷と、人馬を窒息させる吹雪と、大地の底まで氷らせる寒さがあり、また年を越えて燃える野火がある。けっして負けてはいないようである。

中華民国には地方によっては稀に大地震もあり大洪水もあるようであるが、しかしあの厖大《ぼうだい》な支那の主要な国土の大部分は、気象的にも地球物理的にも比較的にきわめて平穏な条件のもとにおかれているようである。その埋め合わせというわけでもないかもしれないが、昔から相当に戦乱が頻繁で主権の興亡盛衰のテンポが慌ただしくその上にあくどい暴政の跳梁《ちょうりょう》のために、庶民の安堵《あんど》する暇が少ないように見える。

災難にかけては誠に万里同風である。浜の真砂《まさご》が磨滅して泥になり、野の雑草の種族が絶えるまでは、災難の種も尽きないというのが自然界人間界の事実であるらしい。

雑草といえば、野山に自生する草で何かの薬にならぬものは稀である。いつか朝日グラフに色々な草の写真とその草の薬効とが連載されているのを見て実に不思議な気がした。大概の草は何かの薬であり、薬でない草を捜すほうが骨が折れそうに見えるのである。しかしよく考えてみるとこれは何も神様が人間の役に立つために こんな色々の薬草をこしらえてくれたのではなくて、これらの天然の植物にはぐくまれ、ちょうどそういうものの成分になっているアルカロイドなどが薬になるようなふうに適応して来た動物からだんだんに進化して来たのが人間だと思えば大した不思議ではなくなるわけである。

同じようなわけで、大概の災難でも何かの薬にならないというのは稀なのかもしれないが、ただ、薬も分量を誤れば毒になるように、災難も度が過ぎると個人を殺し国を亡《ほろ》ぼすことがあるかもしれないから、あまり無制限に災難歓迎を標榜《ひょうぼう》するのも考えものである。

以上のような進化論的災難観とは少しばかり見地をかえた優生学的災難論と云ったようなものも出来るかもしれない。災難を予知したり、あるいはいつ災難が来てもいいように防備の出来ているような種類の人間だけが災難を生き残り、そういう「ノア」の子孫だけが繁殖すれば智慧の動物としての人間の品質はいやでもだんだん高まって行く一方であろう。こういう意味で災難は優良種を選択する試験のメンタルテストであるかもしれない。そうだとすると逆に災難をなくすればなくするほど人間の頭の働きは平均して鈍いほうに移って行く勘定である。それで、人間の頭脳の最高水準を次第に引き下げて、賢い人間やえらい人間をなくしてしまって、四海兄弟みんな凡庸な人間ばかりになったというユートピアを夢みる人たちには徹底的な災難防止が何よりの急務であろう。ただそれに対して一つの心配することは、最高水準を下げると同時に最低水準も下がるというのは自然の変異《ヴエリエーション》の方則であるから、このユートピアンの努力の結果はつまり人間を次第に類人猿の方向に導くということになるかもしれないということである。

色々と持って廻《まわ》って考えてみたが、以上のような考察からは結局何の結論も出ないようである。この纏《まと》まらない考察の一つの収穫は、今まで自分など机上で考えていたような楽観的な科学的災害防止可能論に対する一抹の懐疑である。この疑いを解くべき鍵《かぎ》はまだ見つからない。これについて読者の示教を仰ぐことが出来れば幸いである。

（昭和十年七月、中央公論）

日本人の自然観

緒　言

「日本人の自然観」という私に与えられた課題の意味は一見はなはだ平明なようで、よく考えてみると実は存外曖昧《あいまい》なもののように思われる。筆を取る前にあらかじめ一応の検討と分析とを必要とするもののようである。

これは、日本人がその環境「日本の自然」を如何《いか》に観て如何に反応するか、ということ、またそれが日本人以外の外国人がそれぞれの外国の自然に対する観方とそれに対する反応しかたと比べて如何なる特色をもつかということを主として意味するように思われる。そうして第二次的には外国人が日本の自然に対する観方が日本人とどうちがうかということも問題になりうるわけである。

もしも自然というものが地球上何処でも同じ相貌《そうぼう》を呈しているものとしたら、日本の自然も外国の自然も同じであるはずであって、したがって上記のごとき問題の内容吟味は不必要であるが、しかし実際には自然の相貌が到るところむしろ驚くべき多様多彩の変化を示していて、ひと口に自然と云ってしまうにはあまりに複雑な変化を見せているのである。こういう意味からすると、同じように、「日本の自然」という言葉ですらも実はあまりに漠然としすぎた言葉である。北海道や朝鮮台湾は除外するとしても、たとえば南海道九州の自然と東北地方の自然とを一つに見て論ずることは、問題の種類によってはけっして妥当であろうとは思われない。

こう考えて来ると、今度はまた「日本人」という言葉の内容がかなり空疎な散漫なものに思われて来る。九州人と東北人と比べると各個人の個性を超越するとしてもその上にそれぞれの地方的特性の支配が歴然と認められる。それで九州人の自然観や東北人の自然観と云ったようなものもそれぞれ立派に存立しうるわけである。しかし、ここでは、それらの地方的特性を総括しまた要約した「一般的日本人」の「要約した日本」の自然観を考察せよというのが私に与えられた問題であろうと思われる。そうだとすると問題はけっしてそう容易でないことが分かるのである。

吾々《われわれ》は通例便宜上自然と人間とを対立させ両方別々の存在のように考える。これが現代の科学的方法の長所であると同時に短所である。この両者は実は合して一つの有機体を構成しているのであって究極的には独立に切り離して考えることの出来ないものである。人類もあらゆる植物や動物と同様に永い永い歳月の間に自然の懐にはぐくまれてその環境に適応するように育て上げられて来たものであって、あらゆる環境の特異性はその中に育って来たものにたとえ僅《わず》かでも何らか固有の印銘を残しているであろうと思われる。

日本人の先祖が何処に生まれ何処から渡って来たかは別問題として、有史以来二千有余年この土地に土着してしまった日本人がたとえ如何なる遺伝的記憶をもっているとしても、その上層を大部分掩蔽《えんぺい》するだけの経験の収穫をこの日本の環境から受け取り、それにできるだけしっくり適応するように努力しまた少なくも部分的にはそれに成功して来たものであることには疑いがないであろうと思われる。

そういうわけであるから、もし日本人の自然観という問題を考えようとするならば、まず第一に日本の自然が如何なるものであって、如何なる特徴をもっているかということを考えてみるのが順序であろうと思われる。

もっとも過去二千年の間に日本の自然が急激に異常な変化をしたのだとすると問題は複雑になるが、幸いにも地質時代の各期に起こったと考えられるような大きな地理的気候的変化が日本の有史以後にはけっして起こらなかったと断言してもほとんど間違いはないと思われるから、吾々は安心して現在の日本の天然の環境がそのままに吾々祖先の時代のそれを示していると仮定しても甚だしい誤謬《ごびゅう》に陥る心配はないであろうと思われる。

それで以下にまず日本の自然の特異性についてきわめて概略な諸相を列記してみようと思う。そうしてその次に日本人がそういう環境に応じて如何なる生活様式を選んで来たかということを考えてみたら、それだけでも私に課せられた問題に対する私としての答解の大部分はもう尽くされるのではないかと思われる。日本人を生んだ自然とその中における生活とがあって然《しか》る後に生まれ出た哲学宗教思想や文学芸術に関する詳細な深奥な考察については、私などよりは別にその人に乏しくないであろうと思われる。

日本の自然

日本における自然界の特異性の種々相の根柢《こんてい》には地球上における日本国の独自な位置ということが基礎的原理となって存在しそれが凡《すべ》てを支配しているように思われる。

第一に気候である。現在の日本は樺太《からふと》国境から台湾まで連なる島環の上にあって亜熱帯から亜寒帯に近いあらゆる気候風土を包含している。しかしそれはごく近代のことであって、日清戦争以前の本来の日本人を生育して来た気候はだいたいにおいて温帯のそれであった。そうしていわゆる温帯の中でのもっとも寒い地方からもっとも暖かい地方までのあらゆる段階を細かく具備し包含している。こういうふうに、互いに相容《あいい》れうる範囲内でのあらゆる段階に分化された諸相がこの狭小な国土の中に包括されているということはそれだけでもすでに意味の深いことである。たとえばあの厖大《ぼうだい》なアフリカ大陸のどの部分にこれだけの気候の多様な分化が認められるであろうかを想像してみるといいと思う。

温帯の特徴は季節の年週期である。熱帯では吾々の考えるような季節という概念のほとんど成立しない土地が多い。南洋では年中夏の島がある、インドなどの季節風交代による雨期乾期のごときものも温帯における春夏秋冬の循環とはかなり懸け離れたむしろ「規則正しい長期の天気変化」とでも名づけたいものである。しかし「天気」という言葉もやはり温帯だけで意味をもつ言葉である。色々と予測し難い変化をすればこそ「天気」であろう。寒帯でも同様である。そこでは昼夜はあるが季節も天気もない。

温帯における季節の交代、天気の変化は人間の智恵《ちえ》を養成する。週期的あるいは非週期的に複雑な変化の相貌を現わす環境に適応するためには人間は不断の注意と多様な工夫を要求されるからである。

そうした温帯の中でも日本はまた他の国と比べて色々な特異性をもっている。その主な原因は日本が大陸の周縁であると同時にまた環海の島嶼《とうしょ》であるという事実に帰することが出来るようである。もっともこの点では英国諸島はきわめて類似の位置にあるが、しかし大陸の西側と東側とでは大気ならびに海流の循環の影響で色々な相違のあることが気候学者によってとうに注意されている。どちらかと云えば日本のように大陸の東側、大洋の西側の国は気候的に不利な条件にある。このことは朝鮮満州をそれと同緯度の西欧諸国と比べてみれば分かると思う。ただ日本はその国土と隣接大陸との間にちょっとした海を距《へだ》てているおかげでシベリアの奥にある大気活動中心の峻《しゅん》烈《れつ》な支配をいくらか緩和された形で受けているのである。

比較的新しい地質時代まで日本が対馬《つしま》の辺を通して朝鮮と陸続きになっていたことは象や犀《さい》の化石などからも証明されるようであるが、それと聯関《れんかん》して、もしも対馬朝鮮の海峡を塞《ふさ》いでしまって暖流が日本海に侵入するのを防いだら日本の気候に相当顕著な変化が起こるであろうということは多くの学者の認めるところである、この一事から考えても日本の気候は、日本のごとき位置、日本のごとき水陸分布によって始めて可能であること、したがって日本の気候が地球上のあらゆるいわゆる温帯の中でも全く独自なものであることが諒解《りょうかい》できるであろうと思われる。

このような理由から、日本の気候には大陸的な要素と海洋的な要素が複雑に交錯しており、また時間的にも、週期的季節的循環のほかに不規則で急激活発な交代が見られる。すなわち「天気」が多様でありその変化が頻繁である。

雨のふり方だけでも実に色々様々の降り方があって、それを区別する名称がそれに応じて分化している点でも日本はおそらく世界中随一ではないかと思う。試みに「春雨」「五月雨《さみだれ》」「しぐれ」の適切な訳語を外国語に求めるとしたら相応な困惑を経験するであろうと思われる。「花曇り」「霞《かすみ》」「稲妻」などでも、それと寸分違《たが》わぬ現象が日本以外のいずれの国に見られるかも疑問である。たとえばドイツの「ウェッターロイヒテン」は稲妻と物理的にはほとんど同じ現象であってもそれはけっして稲田の闇を走らない。あらゆる付帯的気象条件がちがいしたがって人間の感受性に対するその作用は全然別物ではないかと思われるのである。

これに限らず、人間と自然を引っくるめた有機体における自然と人間の交渉はやはり有機的であるから、たとえ科学的気象学的に同一と見られるものでも、それに随伴する他要素の複合如何《いかん》によってまったく別種の意義をもつのは云うまでもないことである、そういう意味で私は、「春雨」も「秋風」も西洋にはないと云うのである、そうして、こういう語彙《ごい》自身の中に日本人の自然観の諸断片が濃密に圧縮された形で包蔵されていると考えるのである。

日本における特異の気象現象中でももっとも著しいものは颱風《たいふう》であろう。これも日本の特殊な地理的位置に附帯した現象である。「野分」「二百十日」こういう言葉も外国人にとっては空虚なただの言葉として響くだけであろう。

気候の次に重要なものは土地の起伏水陸の交錯による地形的地理的要素である。日本の島環の成因については色々の学説がある。しかし日本の土地が云わば大陸の辺縁の揉《も》み砕かれた破片であることには疑いないようである。このことは日本の地質構造、したがってそれに支配され影響された地形的構造の複雑多様なこと、錯雑の規模の細かいことと密接に聯関している。実際日本の地質図を開いてその色々の色彩に染め分けられたモザイックを、多くの他の大陸的国土の同尺度のそれと見較べてみてもこの特徴は想像するに難くない。このような地質的多様性はそれを生じた地殻運動のためにも、また地質の相違による二次的原因からも、きわめて複雑な地形の分布、水陸の交錯を生み出した、その上にこうした土地に固有な火山現象の頻出がさらにいっそうその変化に特有な異彩を添えたようである。

複雑な地形はまた居住者の集落の分布やその相互間の交通網の発達に特別な影響を及ぼさないではおかないのである。山脈や河流の交錯によって細かく区分された地形的単位ごとに小都市の萌芽《ほうが》が発達し、それが後日封建時代の割拠の基礎を作ったであろう。このような地形は漂泊的な民族的習性には適せず、むしろ民族を土着させるあらゆる傾向をもつと思われる。そうして土着した住民は、その地形的特徴から生ずるあらゆる風土的特徴に適応しながら次第に分化しつつ各自の地方的特性を涵養《かんよう》して来たであろう。それと同時に各自の住み着いた土地への根強い愛着の念を培養して来たものであろう。かの茫漠《ぼうばく》たるステッペンやパンパスを漂浪する民族との比較を想い浮かべるときにこの日本の地形的特徴の精神的意義がいっそう明瞭《めいりょう》に納得されるであろうと思われる。

この地質地形の複雑さの素因をなした過去の地質時代における地殻の活動は、現代においてもそのかすかな余響を伝えている。すなわち地震ならびに火山の現象である。わずかに地震計に感じるくらいの地震ならば日本のどこかに一つ二つ起こらない日は稀《まれ》であり、顕著あるいはやや顕著と称する地震の一つ二つ起こらない月はない。破壊的で潰家を生じ死傷者を出すようなのでも三、四年も待てばきっと帝国領土のどこかに突発するものと思って間違いはない。この現象は我が邦《くに》建国以来おそらく現代とほぼ同様な頻度をもって繰り返されて来たものであろう。日本書紀第十六巻に記録された、太子が鮪《しび》という男に与えた歌にも「ない」が現われており、またその二十九巻には天武天皇の御代《みよ》における土佐国大地震とそれに伴う土地陥没の記録がある。地震によって惹起《じゃっき》される津浪《つなみ》もまたしばしば、おそらく人間の一代に一つか二つぐらいずつは、大八州国の何処かの浦辺を襲って少なからざる人畜家財を蕩尽《とうじん》したようである。

動かぬものの譬《たと》えに引かれる吾々《われわれ》の足下の大地が時として大いに震え動く、そういう体験を持ち伝えて来た国民と、そうでない国民とが自然というものに対する観念においてかなりに大きな懸隔を示しても不思議はないわけであろう。このように恐ろしい地殻活動の現象はしかし過去において日本の複雑な景観の美を造り上げる原動力となった大規模の地変のかすかな余韻であることを考えると、吾々は現在の大地の折々の動揺を特別な眼で見直すことも出来はしないかと思われる。

同じことは火山の爆発についても云われるであろう。そうして火山の存在が国民の精神生活に及ぼした影響も単に威圧的のものばかりではない。

日本の山水美が火山に負うところが多いということは周知のことである。国立公園として推された風景のうちに火山に関係したもののはなはだ多いということもすでに多くの人の指摘したところである。火山はしばしば女神に見立てられる。実際美しい曲線美の変化を見せない火山はないようである。火山そのものの姿が美しいのみならず、それが常に山と山との間の盆地を求めて噴出するために四周の景観に複雑多様な特色を附与する効果をもっているのである。のみならずまた火山の噴出は植物界を脅かす土壌の老朽に対して回春の効果を齎《もたら》すものとも考えられるのである。

このように吾らの郷土日本においては脚下の大地は一方においては深き慈愛をもって吾々を保育する「母なる土地」であると同時に、またしばしば刑罰の鞭《むち》を揮《ふる》って吾々のとかく遊惰に流れやすい心を引き緊《し》める「厳父」としての役割をも勤めるのである。厳父の厳と慈母の慈との配合宜《よろ》しきを得た国柄にのみ人間の最高文化が発達する見込みがあるであろう。

地殻的構造の複雑なことはまた地殻の包蔵する鉱産物の多様と豊富を意味するが、同時にまたある特殊な鉱産物に注目するときその産出額の物足りなさを感じさせることにもなるのである。石炭でも石油でも鉄でも出るには相応に出ても世界で著名なこれらのものの産地の産額に匹敵するものはないであろう。日本が鎖国として自給自足に甘んじているうちはとにかく世界の強国として乗り出そうとする場合に、この事実が深刻な影響を国是の上に及ぼして来るのである。それはとにかくこのように色々のものが少しずつ備わっているということがあらゆる点で日本の自然の特色をなしているとも云われなくはない。

地震の現象でも大小の地震が不断になしくずしに起こっている代わりにたとえば中部アジアなどで起こるような非常に大規模な地震はむしろ稀であるように思われる。この事はやはり前記の鉱産に関する所説と本質的に聯関《れんかん》をもっているのである。すなわち、日本の地殻構造が細かいモザイックから成っており、他の世界の種々の部分を狭い面積内に圧縮したミニアチュアとでも云ったような形態になっているためであろうと思われるのである。

地形の複雑なための二次的影響としては、距離から見ればいくらも離れていない各地方の間に微気候学的《ミクロクリマトロジカル》な差別の多様性が生じる。ちょっとした山つづきの裏表では日照雨量したがってあらゆる気候要素にかなり著しい相違のあるということは誰も知る通りである。その影響のもっとも眼に見えるのはそうした地域の植物景観の相違である。たとえば信州辺でもある東西に走る渓流の南岸の斜面には北海道辺で見られるような闊葉樹林《かつようじゅりん》がこんもり茂っているのに、対岸の日表の斜面には南国らしい針葉樹交じりの粗林が見られることもある。

単に微気候学的差別のみならず、また地質の多様な変化による植物景観の多様性も日本の土地の相貌《そうぼう》を複雑にするのである。たとえば風化せる花崗岩《かこうがん》ばかりの山と、浸《しん》蝕《しょく》のまだ若い古生層の山とでは山の形態のちがう上にそれを飾る植物社会に著しい相違が目立つようである。火山の裾野《すその》でも、土地が灰砂で蔽《おお》われているか、熔岩《ようがん》を露出しているかによってまた噴出年代の新旧によってもおのずからなフロラの分化を見せているようである。

近ごろ中井博士の（十七）「東亜植物」を見て色々興味を感じたことの中でも特に面白いと思ったことは、日本各地の植物界に、東亜の北から南へかけての色々な国土の植物がさまざまに入り込み入り乱れている状況である、これも日本という国の特殊な地理的位置によって説明さるべき現象であろう。中にはまた簡単には説明されそうもない不思議な現象もある。たとえば信州の山地にある若干の植物は満州朝鮮と共通であって、しかも本州の他のいずれの地にも見られないと云ったような事実があるそうである。それからまた、日本では夢にも見つかろうとは思われなかった珍奇な植物「ヤッコソウ」のようなものが近ごろになって発見されたというような事実もある。これらの事実は植物に関することであるが、しかしまた、日本国民を組成している色々な人種的民族的要素の出所とその渡来の経路を考察せんとする人々にとってはこの植物界の事実が非常に意味の深い暗示の光を投げかけるものと云わなければならない。

天然の植物の多様性と相対して日本の農作物の多様性もまた少なくも自分の眼で見た西欧諸国などとは比較にならないような気がするのである。もっともこれは人間の培養するものであるから、国民の常食が肉食と菜食のどちらに偏しているかということにもより、また土地に対する人口密度にも支配されることであるが、しかしいずれにしても、作ろうと思えば大概のものは日本の何処かに作り得られるという事実の根《こん》柢《てい》には、やはり気候風土の多様性という必須条件が具備していなければならない道理であろう。

農作物の多様性はまた日本のモザイック的景観を色々に彩り隈《くま》どっている。地形の複雑さは大農法を拒絶させ田畑の輪郭を曲線化し、その高低の水準を細かな階段に刻んでいる。ソビエトロシアの映画監督が「日本」のフィルムを撮って露都で公開したとき、猫の額のような稲田の小区画に割拠して働く農夫の仕事を見て観衆がふき出して笑ったという話である。それを気にして国辱と思っている人もあるようである。しかし「原大陸」の茫漠たる原野以外の地球の顔を見たことのないスラヴの民には「田ごとの月」の深甚な意義が解ろうはずはないのである。日本人をロシア人と同じ人間と考えようとする一部の思想家たちの非科学的な根本的錯誤の一つをここにも見ることが出来るであろう。
稲田桑畑芋畑の連なる景色を見て日本国中鋤鍬《すきくわ》の入らないところはないかと思っていると、そこからいくらも離れないところには下草の茂る雑木林があり河畔の荒蕪地《こうぶち》がある。汽車に乗ればやがて斧鉞《ふえつ》の痕《あと》なき原始林も見られ、また野草の花の微風にそよぐ牧場も見られる。雪渓に高山植物を摘み、火口原の沙漠《さばく》に矮草《わいそう》の標本を収めることも可能である。

同種の植物の分化の著しいことも相当なものである。夏休みに信州の高原に来て試に植物図鑑などと引き合わせながら素人流に草花の世界を覗《のぞ》いて見ても、形態がほとんど同じであって、しかも少しずつ違った特徴をもった植物の大家族といったようなものが数々あり、しかも一つの家族から他の家族への連鎖となり橋梁《きょうりょう》となるかと思われるようなものにも乏しくない。つつじの種類だけでもその分化の多様なことは日本が随一で中でも信州が著しいという話である。

話は植物の話である。しかしこのような植物の多様な分化を生ぜしめたその同じ気候風土の環境の多様性が日本人という人間の生理を通してその心理の上にまでも何かしら類似の多様性を分化させるような効果をもたないで済むものであろうか。これは少なくも慎重な吟味を加えた後でなければ軽率に否定し去ることの出来ない問題であろう。のみならず、その環境によって生まれた自然の多様性がさらにまた二次的影響として上記の一次的効果に参加することも忘れてはならないのである。

植物界は動物界を支配する。不毛の地に最初の草の種が芽を出すと、それが昆虫を呼び、昆虫が鳥を呼び、その鳥の糞粒が新しい植物の種子を輸入する、そこに色々の獣類が移住を始めて次第に一つの「社会」が現出する。日本における植物界の多様性はまたその包蔵する動物界の豊富の可能性を指示するかと思われる。

試に反対の極端の例を挙げてみると、あの厖大《ぼうだい》な南極大陸の上に棲《す》む「陸棲《りくせい》動物」の中で最大なるものは何か、という人困らせの疑問に対する正しい解答は「それは羽のない一種の蚊である」と云うのである。こんな国土もあることを考えると、吾々は蚊もいるが馬も牛もおり、しかも虎や獅子《しし》のいない日本に生まれたことの幸福を充分に自覚してもいいのである。

今私は浅間山《あさまやま》の麓《ふもと》の客舎で、この原稿を書きながら鶯《うぐいす》やカッコウやホトトギスや色々の唄《うた》い鳥の声に親しんでいる。雉子《きじ》らしい声も聞いた。クイナらしい叩音《こうおん》もしばしば半夜の夢に入った。これらの鳥の啼《な》き声は季節の象徴として昔から和歌や俳句にも詠ぜられている。また日本はその地理的の位置から自然に色々な渡り鳥の通路になっているので、これもこの国の季節的景観の多様性に寄与するところがはなはだ多い。雁《がん》や燕《つばめ》の去来は昔の農夫には一種の暦の役目をもつとめたものであろう。

野獣の種類はそれほど豊富ではないような気がする。これは日本が大陸と海で切り離されているせいではないかと思われる。地質時代に朝鮮と陸続きになっていたころに入り込んでいた象や犀《さい》などはたぶん気候の変化のために絶滅して今ではただ若干の化石を残している。

朝鮮にいる虎が気候的にはそんなに違わない日本にいないのはどういうわけであるか、おそらく日本の地が大陸と分離した後になってこの動物が朝鮮半島に入り込んで来たのではないかと思われる。猫は平安朝に朝鮮から舶来したと伝えられている。北海道の羆《ひぐま》も虎と同様で、東北日本の陸地の生まれたとき津軽《つがる》海峡はおそらく陸でつながっていたのではないかと思われるが、それがその後の地変のために切断してそれが潮流のために広く深く掘りえぐられた、それから後に何処かから羆が蝦夷地《えぞち》に入り込んで来たのではないかと想像される。四国には狐が居ないということがはたして事実ならばこれも同様な地史的意義をもつかもしれない。それはとにかく日本が大陸にきわめて接近していながら、しかも若干の海峡で大陸と切り離されているという特殊の地理的条件のために日本のファウナがどういう影響を受けているかということは上記の雑多な事実からも諒解《りようかい》されるであろう。

昔は鹿や猿がずいぶん多くて狩猟の獲物を豊富に供給したらしいことは、たとえば古事記の雄略《ゆうりやく》天皇の御代《みよ》からも伝わっている。しかし人口の増殖とともに獲物が割合に乏しくなり、その事が農業の発達に反映したということも可能である。それが仏教の渡来ということも相俟《あいま》って我が邦《くに》におけるこれらのゲームの絶滅をかろうじて阻止することが出来たのかもしれない。

水産生物の種類と数量の豊富なことはおそらく世界の他の如何《いか》なる部分にもたいしてひけを取らないであろうと思われる。これは一つには日本の海岸線が長くて、しかも広い緯度の範囲に亙《わた》っているためもあるが、さらにまた色々な方向から色々な温度塩分瓦斯《ガス》成分を運搬して沿岸を環流しながら相錯雑する暖流寒流の賜《たまもの》である。これらの海流はこのごとく海の幸を齎《もたら》すと同時にまた我が邦の気候に第二次的影響を及ぼして陸の幸をも支配する因子となっているようである。

先住民族は貝塚を残している。彼らの漁場はただ浜辺岸辺に限られていたであろうが、船と漁具との発達は漁場を次第に沖のほうに押し広げ同時に漁獲物の種類を豊富にした。今では発動機船に冷蔵庫と無電装置を載せて陸岸から千海里近い沖までも海の幸の領域を拡張して行った。

魚貝のみならず色々な海草が国民日常の食膳《しょくぜん》を賑《にぎ》わす、これらは西洋人の夢想もしないような色々のビタミンを含有しているらしい。また海胆《うに》や塩辛類の含有する回生の薬物についても科学はまだ何事をも知らないであろう。肝油その他の臓器製薬の効能が医者によって認められるより何百年も前から日本人は鰹《かつお》の肝を食い黒鯛《くろだい》の胆《きも》を呑《の》んでいたのである。

これを要するに日本の自然界は気候学的地形学的生物学的その他あらゆる方面から見ても時間的ならびに空間的にきわめて多様多彩な分化のあらゆる段階を具備し、そうした多彩の要素のスペクトラが、およそ考え得らるべき多種多様な結合をなして我が邦土を彩っており、しかもその色彩は時々刻々に変化して自然の舞台を絶え間なく活動させているのである。

このような自然の多様性と活動性とは、そうした環境の中に保有されて来た国民に如何なる影響を及ぼすであろうか、ということはあまり多言を費やさずとも明白なことであろう。複雑な環境の変化に適応せんとする不断の意識的ないし無意識的努力はその環境に対する観察の精微と敏捷《びんしょう》を招致し養成するわけである。同時にまた自然の驚異の奥行きと神秘の深さに対する感覚を助長する結果にもなるはずである。自然の神秘とその威力を知ることが深ければ深いほど人間は自然に対して従順になり、自然に逆らう代わりに自然を師として学び、自然自身の太古以来の経験を我が物として自然の環境に適応するように務めるであろう。前にも述べた通り大自然は慈母であると同時に厳父である。厳父の厳訓に服することは慈母の慈愛に甘えるのと同等に吾々の生活の安寧を保証するために必要なことである。

人間の力で自然を克服せんとする努力が西洋における科学の発達を促した。何故に東洋の文化国日本にどうしてそれと同じような科学が同じ歩調で進歩しなかったかと云う問題はなかなか複雑な問題であるが、その差別の原因をなす多様な因子の中の少なくも一つとしては、上記のごとき日本の自然の特異性が関与しているのではないかと想像される。すなわち日本ではまず第一に自然の慈母の慈愛が深くてその慈愛に対する欲求が充《み》たされやすいために住民は安んじてその懐に抱かれることが出来る、という一方ではまた、厳父の厳罰のきびしさ恐ろしさが身に沁《し》みて、その禁制に背き逆らうことの不利をよく心得ている。その結果として、自然の十分な恩恵を甘受すると同時に自然に対する反逆を断念し、自然に順応するための経験的知識を集収し蓄積することをつとめて来た。この民族的な智恵《ちえ》もたしかに一種のワイスハイトであり学問である。しかし、分析的な科学とは類型を異にした学問である。

たとえば、昔の日本人が集落を作り架構を施すにはまず地を相することを知っていた。西欧科学を輸入した現代日本人は西洋と日本とで自然の環境に著しい相違のあることを無視し、したがって伝来の相地の学を蔑視して建てるべからざるところに人工を建設した。そうして克服しえたつもりの自然の厳父の揮《ふる》った鞭《むち》のひと打ちで、その建設物が実に意気地もなく潰滅《かいめつ》する、それを眼前に見ながら自己の錯誤を悟らないでいる、といったような場合が近ごろ頻繁に起こるように思われる。昭和九年十年の風水害史だけでもこれを実証して余りがある。

西欧諸国を歩いたときに自分の感じたことの一つは、これらの国で自然の慈母の慈愛が案外に欠乏していることであった。洪積期の遺物と見られる泥炭地や砂地や、さもなければ禿《は》げた岩山の多いのに驚いたことであったが、また一方で自然の厳父の威厳の物足りなさも感ぜられた。地震も颱風《たいふう》も知らない国がたくさんあった。自然を恐れることなしに自然を克服しようとする科学の発達には真《まこと》に恰好《かっこう》の地盤であろうと思われたのである。

こうして発達した西欧科学の成果を、何の骨折りもなくそっくり継承した日本人が、もしも日本の自然の特異性を深く認識し自覚した上でこの利器を適当に利用することを学び、そうしてただでさえ豊富な天恵をいっそう有利に享有すると同時に我が邦に特異な天変地異の災禍を軽減し回避するように努力すれば、おそらく世界中で我が邦ほど都合よく出来ている国は稀《まれ》であろうと思われるのである。然《しか》るに現代の日本ではただ天恵の享楽にのみ夢中になって天災の回避のほうを全然忘れているように見えるのはまことに惜しむべきことと思われる。

以上きわめて概括的に日本の自然の特異性について考察したつもりである。それで次にかくのごとき自然に抱かれた日本人がその環境に応じて如何なる生活様式をとって来たかということを考えてみたいと思う。

日本人の日常生活

まず衣食住の中でもいちばん大事な食物のことから考えてみよう。

太古の先住民族や渡来民族は多く魚貝や鳥獣の肉を常食としていたかもしれない。何時の時代にか南洋または支那から色々な農業が伝わり、一方ではまた肉食を忌む仏教の伝播《でんぱ》とともに菜食が発達し、いつとなく米穀が主食物となったのではないかというのは誰にも想像されることである。しかしそうした農業が我が邦の風土にそのまま適していたか、少なくも次第に順応しつつ発達しうるものであったということがさらに根本的な理由であることを忘れてはならない。

「さかな」の「な」は菜でもあり魚でもある。副食物は主として魚貝と野菜である。これはこの二つのものの種類と数量の豊富なことから来る自然の結果であろう。またそれらのものの比較的新鮮なものが手に入りやすいこと、あるいは手に入りやすいようなところに主要な人口が分布されたこと、その事実の結果が食物の調理法に特殊な影響を及ぼしているかと思われる。よけいな調味で本来の味を掩蔽《えんぺい》するような無用の手数をかけないで、その新鮮な材料本来の美味を、それに含まれた貴重なビタミンとともに、損なわれない自然のままで摂取するほうがいちばん快適有効であることを知っているのである。

中央アジアの旅行中支那の大官から御馳走《ごちそう》になったある西洋人の紀行中の記事に、数十種を算する献立のどれもこれもみんな一様な黴《かび》の匂いで統括されていた、と云ったようなことを書いている。

もう一つ日本人の常食に現われた特性と思われるのは、食物の季節性という点に関してであろう。俳諧《はいかい》歳時記を繰ってみてもわかるように季節に応ずる食用の野菜魚貝の年週期的循環がそれだけでも日本人の日常生活を多彩にしている。年中同じように貯蔵した馬鈴薯《ばれいしょ》や玉葱《たまねぎ》をかじり、干物塩物や、季節にかまわず豚や牛ばかり食っている西洋人や支那人、あるいはほとんど年中同じような果実を食っている熱帯の住民と、「はしり」を喜び「しゅん」を貴ぶ日本人とはこうした点でもかなりちがった日常生活の内容をもっている。このちがいはけっしてそれだけでは済まない種類のちがいである。

衣服についても色々なことが考えられる。菜食が発達したとほぼ同様な理由から植物性の麻布綿布が主要な資料になり、毛皮や毛織りが輸入品になった。綿布麻布が日本の気候に適していることもやはり事実であろうと思われる。養蚕が輸入されそれがちょうどよく風土に適したために、後には絹布が輸出品になったのである。

衣服の様式は少なからず支那の影響を受けながらもやはり固有の気候風土とそれに準ずる生活様式に支配されて固有の発達と分化を遂げて来た。近代では洋服が普及されたが、固有な和服が跡を絶つ日はちょっと考えられない。たとえば冬湿夏乾の西欧に発達した洋服が、反対に冬乾夏湿の日本の気候においても和服に比べて、その生理的効果が優れているかどうかは科学的研究を経た上でなければにわかに決定することが出来ない。しかし、日本へ来ている西洋人が夏は好んで浴衣《ゆかた》を着たり、ワイシャツ一つで軽井沢《かるいざわ》の町を歩いたりすることだけを考えても、和服がけっして不合理なものばかりでないということの証拠がほかにも色々捜せば見つかりそうに思われる。しかしおかしい事には日本の学者でまだ日本服の気候学的物理的生理的の意義を十分詳細に研究し尽くした人のあることを聞かないようである。これは私の寡聞のせいばかりではないらしい。そういう事を研究することを喜ばないような日本現時の不思議な学風がそういう研究の出現を阻止しているのではないかと疑われる。

って、日本人の頭脳の低級なためではないということは慥《たし》かであろうと思う。その証拠には日本古来の智恵《ちえ》を無視した科学が大恥をかいた例は数えれば数えきれないほどあるのである。

日本人の精神生活の諸現象の中で、何よりも明瞭《めいりょう》に、日本の自然、日本人の自然観、あるいは日本の自然と人とを引きくるめた一つの全機的な有機体の諸現象を要約し、またそれを支配する諸方則を記録したと見られるものは日本の文学や諸芸術であろう。

記紀を文学と云っては当たらないかもしれないが、たとえばその中に現われた神話中に暗示された地球物理的現象の特異性についてはかつて述べたことがあるから略する。

御伽噺《おとぎばなし》や伝説口碑のようなものでも日本の自然とその対人交渉の特異性を暗示しないものはないようである。源氏物語や枕草子などを繙《ひもと》いてみてもその中には「日本」のあらゆる相貌《そうぼう》を指摘する際に参考すべき一種の目録書きが包蔵されている事を認めることが出来るであろう。

こういう点で何よりももっとも代表的なものは短歌と俳句であろう。この二つの短詩形の中に盛られたものは、多くの場合において、日本の自然と日本人との包含によって生じた全機的有機体日本がもっとも雄弁にそれ自身を物語る声のレコードとして見ることの出来るものである。これらの詩の中に現われた自然は科学者の取り扱うような、人間から切り離した自然とはまったく趣を異にしたものである。また単に、普通にいわゆる背景として他所から借りて来て添加したものでもない。人は自然に同化し、自然は人間に消化され、人と自然が完全な全機的な有機体として活《い》き動くときに自ら発する楽音のようなものであると云っても甚だしい誇張ではあるまいと思われるのである。西洋人の詩にも漢詩にも、そうした傾向のものがいくらかはあるかもしれないが、浅学な私の知る範囲内では、外国の詩には自我と外界との対立がいつもあまりに明白に立っており、そこから理窟《フイロソフイー》が生まれたり教訓《モラール》が組み立てられたりする。万葉の短歌や蕉門《しようもん》の俳句におけるがごとく人と自然との渾然《こんぜん》として融合したものを見出すことは私にははなはだ困難なように思われるのである。

短歌俳諧《はいかい》に現われる自然の風物とそれに付随する日本人の感覚とのもっとも手近な目録索引としては俳諧歳時記がある。俳句の季題と称するものは俳諧の父なる連歌を通して歴史的にその来歴を追究して行くと枕草子や源氏物語から万葉の昔にまでも遡《さかのぼ》ることが出来るものが多数にあるようである。私のいわゆる全機的世界の諸断面の具象性を決定するに必要な座標としての時の指定と同時にまた空間の標示として役立つものがこのいわゆる季題であると思われる。もちろん短歌の中には無季題のものもけっして少なくはないのであるが、一首一首として見ないで、一人の作者の制作全体を通じて一つの連作として見るときには、やはり日本人特有の季題感が至るところに横溢《おういつ》していることが認められるであろうと思われる。

枕詞と称する不思議な日本固有の存在については未だ徹底的な説明がついていないようである。この不思議を説明する鍵《かぎ》の一つが上述の所説からいくらか暗示されるような気がする。統計を取ってみたわけではないが、試に枕詞の語彙《ごい》を点検してみると、それ自身が天然の景物を意味するような言葉が非常に多く、中にはいわゆる季題となるものもけっして少なくない。それらが表面上は単なる音韻的な連鎖として用いられ、悪く云えば単なる言葉の遊戯であるかのごとき観を呈しているにかかわらず、実際の効果においては枕詞の役目がけっして地口やパンのそれでないことは多くの日本人の疑わないところである。しかしそれが何故にそうであるかの説明は容易でない。私のひそかに考えているところでは、枕詞が喚《よ》び起こす聯想《れんそう》の世界があらかじめ一つの舞台装置を展開してやがてその前に演出さるべき主観の活躍に適当な環境を組み立てるという役目をするのではないかと思われる。換言すればある特殊な雰囲気を喚び出すための呪文《じゅもん》のような効果を示すのではないかと思われる。しかし、この呪文は日本人のごとき特異な自然観の所有者に対してのみ有効な呪文である。自然を論理的科学的な立場から見ることのみを知ってそれ以外の見方をすることの可能性に心づかない民族にとっては、それは全くのナンセンスであり悪趣味でさえもありうるのである。

こんなことを考えただけでも、和歌を外国語に翻訳しただけで外国人に味わわせようという試みが如何《いか》に望み少ないものであるかを諒解《りょうかい》することが出来るであろう。また季題なしの新俳句を製造しようとするような運動が如何に人工的なものであるかを悟ることが出来るであろうと思われる。

日本人の特異な自然観の特異性をある一方面に分化させ、その方向に異常な発達を遂げさせたものは一般民衆の間における俳諧発句の流行であったと思われる。かえってずっと古い昔には民衆的であったかと思われる短歌が中葉から次第に宮廷人の知的遊戯の具となりあるいは僧侶の遁世《とんせい》哲学を諷詠《ふうえい》するに恰好《かっこう》な詩形を提供していたりしたのが、後に連歌という形式から一転して次第にそうした階級的の束縛を脱しいわゆる俳諧から発句に進化したために著しくその活躍する世界を拡張して詩材の摂取範囲を豊富にした。それと同時にまた古来の詩人によって養われ造り上げられて来た日本固有の自然観を広く一般民衆の間に伝播《でんぱ》するという効果を生じたであろうと想像される。俳句を研究してある程度まで理解しているあるフランス人に云わせると日本人は一人残らずみんな詩人であるという。これは単に俳句の詩形が短くて誰でも真似やすいためであり、単にそれだけであると思ってはならない。そういう詩形を可能ならしめる重大な原理がまさに日本人の自然観の特異性の中に存し、その上に立脚しているという根本的な事実を見逃してはならない。そういう特異な自然観が国民全体の間に滲《し》み渡っているという必須条件が立派に満足されているという事実を忘却してはならないのである。

短歌や俳句が使い古したものであるからというだけの単純な理由からその詩形の破棄を企て、内容の根本的革新を夢みるのもあえて咎《とが》むべき事ではないとしても、その企図に着手する前に私がここでいわゆる全機的日本の解剖学と生理学を十分に追究し認識した上で仕事に取り掛からないと、せっかくな企図があるいはおそらく徒労に終わるのではないかと憂慮されるのである。

美術工芸に反映した日本人の自然観の影響もまた随所に索《もと》めることが出来るであろ

う。

日本の絵画には概括的に見て、仏教的漢詩的な輸入要素のほかに和歌的なものと俳句的なものとの三角形的な対立が認められ、その三角で与えられるような一種の三角座標をもってあらゆる画家の位置を決定することが出来そうに思われる。たとえば狩野派土佐派四条派をそれぞれこの三角の三つの頂点に近いところに配置して見ることも出来はしないか。

それはいずれにしてもこれらの諸派の絵を通じて云われることは、日本人が輸入しまた創造しつつ発達させた絵画は、その対象が人間であっても自然であっても、それはけっして画家の主観と対立した客観のそれではなく両者の結合し交錯した全機的な世界自身の表現であるということである。西洋の画家が比較的近年になって、むしろこうした絵画に絵画本来の使命があるということを発見するようになったのは、従来の客観的分析的絵画が科学的複製技術の進歩に脅かされて窮地に立った際、偶然日本の浮世絵などから活路を暗示されたためだという説もあるようである。

次に音楽はどうであるか。日本の民衆音楽中でも、歌詞を主としない、純粋な器楽に近いものとしての三曲のごときも、その表現せんとするものがしばしば自然界の音であり、また楽器の妙音を形容するために自然の物音がしばしば比較に用いられる。日本人は音を通じても自然と同化することを意図としているようにも思われる。

結語

以上の所説を要約すると、日本の自然界が空間的にも時間的にも複雑多様であり、それが住民に無限の恩恵を授けると同時にまた不可抗な威力をもって彼らを支配する、その結果として彼らはこの自然に服従することによってその恩恵を十分に享楽することを学んで来た、この特別な対自然の態度が日本人の物質的ならびに精神的生活の各方面に特殊な影響を及ぼした、というのである。

この影響は長所をもつと同時にその短所をももっている。それは自然科学の発達に不利であった。また芸術の使命の幅員を制限したという咎めを受けなければならないかもしれない。しかし、それは止むを得ないことであった。ちょうど日本の風土と生物界とが吾々《われわれ》の力で自由にならないと同様にどうにもならない自然の現象であったのである。

地理的条件のために永い間鎖国状態を保って来た日本がようやく世界の他の部分と接触するようになったのは一つには科学の進歩によって交通機関が次第に発達したおかげであると見られる。実際交通機関の発達は地球の大きさを縮め、地理的関係に深甚な変化を与えた。ある遠いところがある近いところよりも交通的には近くなったりして、云わば空間がねじれゆがんで来た。距離の尺度と時間の尺度も色々に喰《く》いちがって来た。そうして人は千里眼順風耳を獲得し、かつて夢みていた鳥の翼を手に入れた。このように、自然も変わり人間も昔の人間とちがったものになったとすると、問題の日本人の自然観にもそれに相当して何らかの変化を来たさなければならないように思われる。そうして、この新しい日本人が新しい自然に順応するまでにはこれから先相当に永い年月の修練を必要とするであろうと思われる。多くの失敗と過誤の苦い経験を重ねなければなるまいと思われる。現にそうした経験を今日吾々は到るところに味わいつつあるのである。

そうはいうものの、日本人はやはり日本人であり日本の自然はほとんど昔のままの日本の自然である。科学の力をもってしても、日本人の人種的特質を改造し、日本全体の風土を自由に支配することは不可能である。それにもかかわらずこのきわめて見やすい道理がしばしば忘れられる。西洋人の衣食住を模し、西洋人の思想を継承しただけで、日本人の解剖学的特異性が一変し、日本の気候風土までも入れ代わりでもするように思うのは粗忽《そこつ》である。

余談ではあるが、皮膚の色だけで、人種を区別するのもずいぶん無意味に近い分類である。人と自然とを合して一つの有機体とする見方からすれば支那人と日本人とはけっしてあまり近い人種ではないような気もする。また東洋人とひと口に云ってしまうのもずいぶん空虚な言葉である。東洋と称する広い地域の中で日本の風土とその国民とはやはり周囲とまったくかけ離れた「島」を作っているのである。

私は、日本のあらゆる特異性を認識してそれを活《い》かしつつ周囲の環境に適応させることが日本人の使命であり存在理由でありまた世界人類の健全な進歩への寄与であろうと思うものである。世界から桜の花が消えてしまえば世界はやはりそれだけ淋《さび》しくなるのである。

（昭和十年十月、東洋思潮）

〈追記〉以上執筆中雑誌「文学」の八月特集号「自然の文学」が刊行された。その中には、日本の文学と日本の自然との関係が各方面の諸家によって詳細に論述されている。読者はそれらの有益な所説を参照されたい。またその巻頭に掲載された和辻哲郎《わつじてつろう》氏の「風土の現象」と題する所説と、それを序篇とする同氏の近刊著書「風土」における、もっとも独創的な全機的自然観を参照されたい。自分の上述の所説の中には和辻氏の従来すでに発表された自然と人間との関係についての多くの所論に影響されたと思われる点が少なくない。また友人小宮豊隆《こみやとよたか》・安倍能成両氏の著書から暗示を受けた点も多いように思われるのである。

なお拙著「蒸発皿」に収められた俳諧や連句に関する所説や、「螢光板」の中の天災に関する諸篇をも参照さるれば大幸である。

注

一　**函館の大火**　昭和九年三月二十一日の夕刻に函館市内で発生した大火。死者およそ二千二百人を出した。

二　**北陸地方の水害**　昭和九年七月十一日に発生した手取川《てどりがわ》の氾濫による水害。死者、行方不明者は百人を超え、流失・倒壊した家屋や建物は四百三十五にも上った。

三　**近畿地方大風水害**　昭和九年九月二十一日、高知の室戸岬付近に上陸し、京阪神地方を直撃して若狭湾《わかさ》に抜けた「室戸台風」の水害。死者約二千七百人を出した。

四　**今度の大阪や高知県東部の災害**　「室戸台風」による災害。

五　**東北日本の太平洋岸に津浪《つなみ》が襲来**　「昭和三陸地震（M八・一）」を指す。死者・行方不明者約三千人の被害を出した。

六　**「三陸大津浪」**　「明治三陸地震（M八・二）」によって引き起こされた大津波。二万人を超す死者を出した。

七　**カイゼル・ウィルヘルム第二世**　（1859〜1941）。第三代ドイツ帝国皇帝。

八　**テニスン**　アルフレッド・テニスン（1809〜1892）。英国の桂冠詩人。

九　**ラスキン**　ジョン・ラスキン（1819〜1900）。イギリスの批評家。『近代画家論』を著した。

十　**小宮君**　小宮豊隆（1884～1966）。大正、昭和の独文学者・評論家。夏目漱石の門下生として、文芸評論家・演劇評論家として活躍。

十一　**京師を襲った大風雨**　京市中に洪水が発生。紫宸殿《ししんでん》前桜、東宮《とうぐう》紅梅などが倒れた。

十二　**明治三十二年八月二十八日高知市を襲ったもの**　この日高知に上陸した台風は、四国を縦断、別子地区などで山津波を起こし多数の死傷者を出した（別子銅山変災）。

十三　**安倍能成君**　（1883～1966）。哲学者、教育者。西洋哲学の翻訳、著述などを行った。戦後は、帝室博物館（現東京国立博物館）館長、学習院院長などを歴任。

十四　**寺石正路氏**　（1868～1949）。高知の郷土史家。本文中に出てくる『土佐古今の地震』は大正12年刊。

十五　**台湾の地震**　昭和十年四月二十一日に起こった新竹《しんちく》・台中《たいちゅう》地方のM七・一の地震。

十六　**ツェッペリン伯**　フェルディナンド・フォン・ツェッペリン伯爵（1838～1917）。ドイツ軍人。ツェッペリン飛行船の生みの親。

十七　**中井博士**　中井《なかい》猛之進《たけのしん》（1882～1952）。日本を代表する植物学者。東京大学教授、国立科学博物館館長を歴任した。

解説

山折哲雄

阪神淡路の大地震（一九九五）が発生したとき、私はたまたま京都西郊の八階の部屋で覚めていた。おきあがるのとほとんど同時に本棚が倒れ、危うく身をかわして逃れた。それだけですんだのであるが、地の底からつきあげてくる不気味なものの力にふるえあがった。地下世界に地獄を想像した人びとの怖れの気持ちが、実感として胸につきささってきたのである。

東北地方を中心とする巨大地震と大津波、追い打ちをかける福島第一原発のこんどの危機（二〇一一・三・一一）に際会して、いま私があらためて思いおこしているのが、これまでにもくり返しのべてきたことではあるが、鴨長明と日蓮である。

長明は元暦《げんりやく》二年（一一八五）に発生した都の大地震の経験を『方丈記』に書き、日蓮は正嘉《しょうか》元年（一二五七）におこった鎌倉大地震の経験を背景にして『立正安国論』

を書いているからだ。

『方丈記』は出世の道をはばまれた失意の隠者、長明が人間の栄枯盛衰のはかなさに無常を感じつつ綴《つづ》った自伝随筆である。そこには地震の被害だけでなく、都を襲った大風にほんろうされ、飢饉《ききん》に苦しむ人びとの惨状が細部にわたって描きだされている。

これにたいして、『立正安国論』は、幕府のおひざもとの鎌倉で辻《つじ》説法をはじめた日蓮が、幕府を鋭く批判し、政治の変革を求めて北条時頼《ほうじょうときより》に提出した思想書である。そしてここにもまた、大地震によって神社・仏閣が倒壊、焼亡し、暴風、大雨、洪水に痛めつけられる人々の悲惨な姿がえぐりだされている。

眼前に「東北地方」の巨大な災害が山積している国難ともいえる大変な時期に、八百年も昔の話をもちだしたのはほかでもない。もう一人の欠かすことのできない人間、すなわち本書の主人公である寺田寅彦の名を、そのような歴史の流れのなかで、ここに登場してもらいたかったからである。

かれは明治十一年（一八七八）に生まれ、東京帝国大学の物理学科を出て教授となった。大正十二年（一九二三）の関東大震災以後は、東大の地震研究所に移って地震の研究に没頭した。その寺田寅彦が、昭和十年（一九三五）前後のころ、本書にも収めている「天災と国防」「日本人の自然観」などのエッセイを書き、つぎのようなことをいっていることにまず注目しなければならない。

第一、文明が進めば進むほど天然の暴威による災害はその激烈の度を増す。平常から科学的な対策を講じておかなければならないゆえんである。第二、日本は西欧の文明諸国とくらべて特殊な環境による支配をうけており、その最大のものが地震、津波、台風による脅威である。そのため数千年来の災禍の経験は、日本人に環境の複雑な変化に対応する防災上のすぐれた知恵を養成することに役立ってきた。

そして第三に、その知恵の一つとして自然の驚異の奥行きと神秘の深さにたいする鋭い感覚が磨きあげられた。自然に逆らうかわりに自然にたいして従順になり、自然を師として学ぶ態度が生まれ、その結果、日本における科学の独自の発達がうながされた。西欧の科学は自然を人間の力で克服しようとする努力のなかで発展したが、日本の科学は自然にたいする反逆を断念し、自然に順応するための経験的な知識を蓄積することで形成された。そこに日本人の「民族的な知恵」が凝結しているのであり、日本人の学問の独自性があるのである……。

私は寺田寅彦が昭和の初期に日本の「自然」と日本の「科学」についてこのような

認識をもっていたことに驚く。その提言は今日なお新鮮な衝撃力をともなって眼前に蘇《よみがえ》ってくるではないか。

かれはまた、大自然は「慈母」であると同時に「厳父」であるともいっている。慈母の慈愛に甘えるのと同様に厳父のきびしい掟《おきて》に服することで、われわれの生活の安寧は保障されてきた。数かぎりない地震や風水による災禍をくぐりぬけて、「天然の無常」という感覚が遠い遠い祖先からの遺伝的記憶となって五臓六腑《ごぞうろっぷ》にしみわたるようになったのだ、といっている。その個所の原文を引いておこう。

単調で荒涼な沙漠《さばく》の国には一神教が生まれると云った人があった。日本のような多彩にして変幻きわまりなき自然をもつ国で八百万《やおよろず》の神々が生まれ崇拝され続けて来たのは当然のことであろう。山も川も樹も一つ一つが神であり人でもあるのである。それを崇《あが》めそれに従うことによってのみ生活生命が保証されるからである。また一方地形の影響で住民の定住性土着性が決定された結果は到るところの集落に鎮守の社《もり》を建てさせた。これも日本の特色である。

仏教が遠い土地から移植されてそれが土着し発育し持続したのはやはりその教義

の含有する色々の因子が日本の風土に適応したためでなければなるまい。思うに仏教の根柢《こんてい》にある無常観が日本人のおのずからな自然観と相調和するところのあるのもその一つの因子ではないかと思うのである。鴨長明の方丈記を引用するまでもなく地震や風水の災禍の頻繁《ひんぱん》でしかもまったく予測し難い国土に住むものにとっては天然の無常は遠い遠い祖先からの遺伝的記憶となって五臓六腑に浸《し》み渡っているからである。

（『本書』一三五頁）

自然への随順、風土への適応、――そこに、仏教の根底に流れる無常観が、日本人のおのずからなる自然観と調和するにいたった原因をみている寅彦の視線に注意しなければならない。荒涼たる砂漠に一神教が生まれたのにたいし、多彩にして変幻きわまりない自然をもつ日本に八百万の神々が生まれ崇拝されつづけてきたゆえんである。

寺田寅彦は日本人の自然観を論じつつ、ほとんど日本人の宗教観の根底を見通しているといっていいだろう。なぜなら地震や風水の災禍をひんぱんにひきおこす「山」や「川」についてふれ、その「山」や「川」が同時に「神」でもあり、「人」でもあったといっているからだ。地形や風土の特性を観察しつつ、そこに無常観の日本的類型を見出《みいだ》そうとしているからである。

ところで、このような風土と日本人ということですぐにも思い出されるのが、いうまでもなく和辻哲郎である。なぜならかれは、寺田寅彦が「日本人の自然観」を書くのに先立ってよく知られている『風土―人間学的考察』を書いているからである。これは昭和三年（一九二八）から四年にかけておこなわれた大学の講義にもとづいて書かれているが、それが寅彦の右のエッセイと同じ年の昭和十年にまとめられている。

このことについては寅彦も、その「日本人の自然観」の末尾に〈追記〉してふれ、自分の考えはこの和辻哲郎の所論に影響された点がすくなくない、とことわっている。

またのちの戦後のことになるが、昭和二十五年になって、角川書店から寺田寅彦著『風土と文学』（角川新書）が新たに編集・刊行された。その巻頭に「日本人の自然観」が収められているが、巻末の「解説」のなかで角川源義《かどかわげんよし》が生前の寺田寅彦を回顧しつつ、つぎのようなことを記している。

和辻博士の「風土」の一部が発表されたころ、寺田寅彦はあれは自分が書くべきものだつたが、先きにしてやられたねとある会合で笑つて語つたといふ。決して嫉みではない、例の俳諧風な表現の仕方で和辻博士の業績の立派さを認めてゐたのである。

この角川書店主、角川源義氏の証言からも、寺田寅彦がその最晩年に「日本人の自然観」を執筆する背景に、和辻哲郎の仕事が大きな影を投げかけていたことが推察されるのである。さてその和辻の『風土』は、それでは寺田の「日本人の自然観」とくらべるとき、どのような姿をわれわれにみせてくれるであろうか。

和辻哲郎が西欧の「牧場」的風土、中東やアフリカの「砂漠」的風土にたいして、日本の「モンスーン」的風土を対比して論じていることはよく知られている。ところがまことに意外というべきか驚くべきことに、和辻哲郎は日本の風土的特徴を考察するにさいして、その台風的、モンスーン的風土については特筆大書して論じてはいても、地震的性格については何一つふれてはいないのである。

これはいったいどういうことであろうか。和辻はそのとき、数年前に発生した関東大震災の記憶をどのように考えていたのだろうか。

かれによると、日本の台風的風土の特徴は、第一に熱帯的・寒帯的という二重性格を帯びているという。そして熱帯的な性格が大雨と結びつき、寒帯的な性格が北国の大雪につながっている。ついで日本の風土は第二に、季節的で突発的という同様の二重性に規定されているという。季節的な特徴から感情の持久性が生じ、逆にその突発的な性格から感情の激変という特徴がみちびき出された。そしてそこから、モンスーン的、台風的風土における日本人の受容的・忍従的なあり方が生みだされた。かれのいう「しめやかな激情」「戦闘的な恬淡《てんたん》」といった逆説的な国民的性格が日本人のものになったのも、さきにのべた台風的風土の二重性によるのだとしたのである。

つぎに興味深いことは、和辻がとくに仏教において説かれる「煩悩即菩提《ぼだい》」という考えをとりあげ、それが日本人の精神世界に大きな影響を及ぼしていると論じている点である。「煩悩即菩提」というのは、人間は迷い（煩悩）の生活のままで悟り（菩提）の世界に入ることができるという考え方である。それは矛盾した考え方のようにみえるけれども、さきの日本人の感情の二重性格と通ずるところがあるという。「しめやかな激情」や「戦闘的な恬淡」という二重感情が仏教でいう「煩悩即菩提」という逆説と重ね合わせられているのである。

また和辻はこのような考え方をさらに発展させて、日本の家族について論をすすめる。すなわち男女、夫婦、親子の関係のなかには大なり小なり利己心と犠牲という相反する価値観が見出されるが、この矛盾の関係を解決する規範として日本人のあいだに「慈悲の道徳」が形成されることになったという。仏教で説かれる「慈悲」という宗教観念が日本の社会では道徳感情として新たな展開をとげたというわけである。

私は、日本人における道徳と宗教の関係を考えるとき、和辻の「慈悲の道徳」と寺田の「天然の無常」という考え方がたいへん参考になると思っている。この近代日本を代表する二人の知識人の思想のなかに、道徳と宗教にたいする日本人の根本的態度を探るカギがかくされているのではないだろうか。日本の風土を考察するとき、和辻哲郎がその台風的契機を重視して「慈悲の道徳」に着目したのにたいし、寺田寅彦がそこから地震的契機をとりだして「天然の無常」という認識に到達していたことの対照性に、私は無類の知的好奇心を覚えるのである。

編集付記

・本書は、寺田寅彦が発表した文章から、災害に関するものを集め、再編集したものです。なお、各文章の底本は左記のとおりです。

「天災と国防」〈『経済往来』(昭和九年十一月、国立国会図書館所蔵)〉、「津浪と人間」「颱風雑俎」「災難雑考」「日本人の自然観」〈『風土と文学』(昭和25年、角川書店)〉、「政治と科学」「何故泣くか」「震災日記より」〈『ピタゴラスと豆』(昭和24年、角川書店)〉、「流言蜚語」〈『銀座アルプス』(昭和24年、角川書店)〉

・文字表記については、次のように方針を定めました。

一、旧仮名遣いは現代仮名遣いに、旧字体は新字体に改めた。
二、難読と思われる語には、現代仮名遣いによる振り仮名をつけた。
三、送り仮名が過不足の字句については適宜正した。
四、漢字表記のうち、代名詞、副詞、接続詞、形式名詞、助詞、助動詞などの多くは、読みやすさを考慮し平仮名表記に改めた(例/此んな→こんな、其の→その)。
五、外来語、国名、単位などは一部現代で一般的に用いられている表記に改めた。

・本文中には、今日の人権擁護の見地に照らして、不当・不適切と思われる表現がありますが、著者が故人であることと作品の時代背景を鑑み、一部の表現の修正を除き、原則的に底本のままとしました。

天災《てんさい》と日本人《にほんじん》

寺田寅彦随筆選《てらだとらひこずいひつせん》

寺田寅彦《てらだとらひこ》　山折哲雄《やまおりてつお》＝編

平成23年 7月25日　初版発行
令和7年 7月15日　18版発行

発行者●山下直久

発行●株式会社KADOKAWA
〒102-8177　東京都千代田区富士見2-13-3
電話　0570-002-301（ナビダイヤル）

角川文庫 16946

印刷所●株式会社KADOKAWA
製本所●株式会社KADOKAWA

表紙画●和田三造

●お問い合わせ
https://www.kadokawa.co.jp/（「お問い合わせ」へお進みください）
※内容によっては、お答えできない場合があります。
※サポートは日本国内のみとさせていただきます。
※Japanese text only

Printed in Japan
ISBN978-4-04-409439-3　C0195

角川文庫発刊に際して

角川源義

第二次世界大戦の敗北は、軍事力の敗北であった以上に、私たちの若い文化力の敗退であった。私たちの文化が戦争に対して如何に無力であり、単なるあだ花に過ぎなかったかを、私たちは身を以て体験し痛感した。西洋近代文化の摂取にとって、明治以後八十年の歳月は決して短かすぎたとは言えない。にもかかわらず、近代文化の伝統を確立し、自由な批判と柔軟な良識に富む文化層として自らを形成することに私たちは失敗して来た。そしてこれは、各層への文化の普及滲透を任務とする出版人の責任でもあった。

一九四五年以来、私たちは再び振出しに戻り、第一歩から踏み出すことを余儀なくされた。これは大きな不幸ではあるが、反面、これまでの混沌・未熟・歪曲の中にあった我が国の文化に秩序と確たる基礎を齎らすためには絶好の機会でもある。角川書店は、このような祖国の文化的危機にあたり、微力をも顧みず再建の礎石たるべき抱負と決意とをもって出発したが、ここに創立以来の念願を果すべく角川文庫を発刊する。これまで刊行されたあらゆる全集叢書文庫類の長所と短所とを検討し、古今東西の不朽の典籍を、良心的編集のもとに、廉価に、そして書架にふさわしい美本として、多くのひとびとに提供しようとする。しかし私たちは徒らに百科全書的な知識のジレッタントを作ることを目的とせず、あくまで祖国の文化に秩序と再建への道を示し、この文庫を角川書店の栄ある事業として、今後永久に継続発展せしめ、学芸と教養との殿堂として大成せんことを期したい。多くの読書子の愛情ある忠言と支持とによって、この希望と抱負とを完遂せしめられんことを願う。

一九四九年五月三日